Collection du CHU Sainte-Justine
pour les parents

Les parents se séparent

Mieux vivre la crise et aider son enfant

Deuxième édition

Richard Cloutier
Lorraine Filion
Harry Timmermans

Catalogage avant publication de Bibliothèque et Archives nationales du Québec et Bibliothèque et Archives Canada

Cloutier, Richard, 1946-

Les parents se séparent : pour mieux vivre la crise et aider son enfant
2e éd. rev. et augm.
(Collection du CHU Sainte-Justine pour les parents)
Publ. à l'origine dans la coll. : Collections Parents. c2001.
Comprend des réf. bibliogr.
ISBN 978-2-89619-603-6

1. Enfants de divorcés - Psychologie. 2. Divorce. 3. Rôle parental partagé (Divorce). 4. Conciliation (Divorce). 5. Séparation chez l'enfant. I. Filion, Lorraine. II. Timmermans, Harry. III. Titre. IV. Collection : Collection du CHU Sainte-Justine pour les parents.

HQ777.5.C564 2012 306.8 C2012-940811-5

Illustration de la couverture : Marc Mongeau
Conception graphique : Nicole Tétreault

Diffusion-Distribution au Québec : Prologue inc.
en France : CEDIF (diffusion) – Daudin (distribution)
en Belgique et au Luxembourg : SDL Caravelle
en Suisse : Servidis S.A.

Éditions du CHU Sainte-Justine
3175, chemin de la Côte-Sainte-Catherine
Montréal (Québec) H3T 1C5
Téléphone : (514) 345-4671
Télécopieur : (514) 345-4631
www.editions-chu-sainte-justine.org

ISBN 978-2-89619-603-6 (imprimé)
ISBN 978-2-89619-604-3 (pdf)
ISBN 978-2-89619-605-0 (ePub)

Dépôt légal : Bibliothèque et Archives nationales du Québec, 2012
Bibliothèque et Archives Canada, 2012

Membre de l'Association nationale des éditeurs de livres

ASSOCIATION NATIONALE DES ÉDITEURS DE LIVRES

Imprimé au Canada

LES AUTEURS

Richard Cloutier est psychologue et professeur émérite associé à l'École de psychologie de l'Université Laval. Ses champs d'intérêt couvrent notamment l'ajustement de l'enfant après la rupture conjugale, l'évolution des formules de garde après la séparation et le maintien des liens et des rôles parentaux en contexte de transition familiale. Auteur de plusieurs ouvrages en psychologie de l'enfant et de l'adolescent, il a reçu, en l'an 2000, le Prix Noël-Mailloux de l'Ordre des psychologues du Québec pour la qualité de ses contributions.

Lorraine Filion est travailleuse sociale et médiatrice familiale. Chef du Service d'expertise psychosociale et de médiation familiale du Centre jeunesse de Montréal auprès de la Cour supérieure du Québec pendant plusieurs années, elle a aussi été responsable du groupe Confidences, un groupe d'entraide et de parole pour les enfants de parents séparés et divorcés. Elle poursuit maintenant sa carrière de médiatrice familiale en pratique privée. Conférencière et auteure de très nombreux articles, elle a reçu le Prix de la justice du Québec en 1999, le Prix d'excellence de l'Association canadienne des travailleurs sociaux pour le Québec en 2000 et le Prix Reconnaissance de carrière de l'Association des

Centres jeunesse du Québec en 2010. Elle a aussi reçu la médaille Universatis Lodziensis Amico de l'Université de Lodz, en Pologne, en mai 2012.

Harry Timmermans a travaillé à titre de psychologue au Service d'expertise psychosociale et de médiation familiale du Centre jeunesse de Montréal de 1976 à 2005. Il a agi comme expert auprès de la Cour supérieure du Québec pendant cette période et, à partir de 1995, il a également agi comme médiateur familial accrédité. Depuis 1995, il anime des sessions d'information à l'intention des parents qui sont en situation de rupture d'union. En pratique privée depuis sa retraite en 2005, il maintient un engagement professionnel en accompagnant et en guidant parents et enfants qui vivent le passage difficile de la séparation et du divorce.

Table des matières

INTRODUCTION 15

CHAPITRE 1
Le choc psychologique de la séparation 19

L'importance de comprendre le passage difficile de la séparation 19
Un choc psychologique 21
Les émotions difficiles 23
Les moments forts de la séparation 31
Le processus de prise de décision 33
La compréhension du choc psychologique de la séparation 36

CHAPITRE 2
Les transitions familiales 39

Il est normal que la famille se transforme 39
Que faire pour y voir plus clair? 40
On n'a plus les parents qu'on avait… 41
Les étapes qui suivent la séparation 49
La famille monoparentale 51
Les changements de formule de garde 52

La recomposition familiale 53
Les formules de garde de l'enfant 54
Le choix de la formule de garde: pourquoi la mère obtient-elle si souvent la garde? 64
La distanciation du père n'est-elle pas dommageable? 66
La perspective de l'enfant 67
L'appréciation des formules de garde 68
L'évolution des formules de garde après la séparation 69
En résumé 70

CHAPITRE 3
L'enfant au cœur de la séparation 73

La période qui précède la séparation 73
Quand doit-on informer l'enfant? 74
Doit-on dire la vérité à l'enfant? 74
La qualité est plus importante que la quantité............ 76
Se garder du temps pour soi 83
Quand est-il préférable de se séparer, de divorcer? 85
L'enfant unique s'en tire-t-il moins bien? 86
Est-il normal que l'enfant continue d'espérer la réconciliation de ses parents? 87
Les réactions dominantes de l'enfant 88
En résumé 93

CHAPITRE 4
La parole de l'enfant de parents séparés : de l'enfant témoin à l'enfant médiateur 95

La parole de l'enfant lors de conflits entre ses parents 95
Les réactions les plus courantes 97
Enfants toutes catégories 101
Quels sont les besoins de tout enfant lors d'une rupture ? 102
Les enfants qu'on oublie 103
Qu'advient-il de ces liens en cas de rupture ? 105
Que faire pour aider ou soutenir votre enfant ? 108
L'utilité d'un groupe d'entraide et de soutien pour les enfants de parents séparés 110
Comment interpréter la parole de mon enfant ? 114
La vérité sort de la bouche des enfants 115
Quels sont les pièges qui guettent les parents ? 116
Consulter n'est pas laisser décider 117
En résumé 119

CHAPITRE 5
La coparentalité 121

Coopérer après la rupture ? 121
La coparentalité, parce que l'enfant ne se sépare pas 122
Le projet de l'enfant n'est pas celui du parent 125

Conjugalité et parentalité : deux relations à ne pas confondre ... 127
Les deux grands ennemis de l'adaptation après la séparation ... 132
Le paradoxe de la coparentalité ... 137
La coparentalité, un facteur de protection ? ... 138
La coparentalité, un facteur de risque ? ... 140
Comment réussir la coparentalité ? ... 141
En résumé ... 143

CHAPITRE 6
La communication entre parents ... 147
La nécessité de la communication ... 147
Le malentendu ... 149
Les attitudes favorisant une communication efficace ... 157
Les effets d'une communication efficace ... 162
Les conséquences prévisibles d'une absence de communication efficace ... 163
Les formes d'une communication efficace ... 163

CHAPITRE 7
Une expérience d'éducation parentale : les séminaires sur la coparentalité ... 167
L'origine des séminaires sur la coparentalité ... 169
Les objectifs ... 171
La sélection des participants ... 171
Les forces du programme ... 172

Les mesures d'évaluation du programme 173
Les perspectives d'avenir 178

CHAPITRE 8
L'importance de la paternité pour le père et pour l'enfant 183

PREMIÈRE PARTIE • L'IMPORTANCE DE LA PATERNITÉ DANS LA VIE DU PÈRE 183
La vision traditionnelle doit être dépassée 185
Séparation et implication croissante du père : une tendance forte 188
La volonté des pères ne suffit pas 195
Les obstacles à l'exercice de la paternité 197

DEUXIÈME PARTIE • L'IMPORTANCE DE LA PATERNITÉ, PERSPECTIVE DE L'ENFANT 199
Un père, est-ce important ? 199
Influence spécifique du père sur le développement de l'enfant 200
Le lien père-enfant 201
Ce qui compte vraiment pour l'enfant 203
« Mon papa est le meilleur du monde » 206
En résumé 208

CHAPITRE 9
L'aliénation parentale 213

L'aliénation parentale, un concept controversé 214
Attention aux définitions 216

Un défi pour l'évaluation 218
Les comportements aliénants 221
Les effets de l'aliénation sur les enfants 222
Que faire? 225
Des frontières de rôles menacées 227
En résumé 232

CHAPITRE 10
Mythes concernant la famille séparée 237

Les mythes 237
Comment savoir si nous prenons les bonnes décisions? 246

CHAPITRE 11
Que sont devenus les enfants du divorce une fois adultes? 253

Le divorce des parents: un héritage lourd à porter? 253
Le besoin de comprendre 254
Les effets probables chez l'adulte: des témoignages 258
Comment épargner nos enfants et leur avenir? 262
En résumé 268

CONCLUSION 271

ANNEXE
Les activités du groupe Confidences Centre jeunesse de Montréal 273
Le déroulement des rencontres 273
Les activités 275
La dernière rencontre du groupe 276
Les suites du groupe 277
Les résultats du groupe 279
BIBLIOGRAPHIE 281
RESSOURCES 293

Introduction

Nous avons écrit ce livre en pensant à la famille qui vit les difficultés d'une séparation ou d'un divorce et à tous ceux qui composent cette famille, adultes comme enfants. La rupture du couple ne met pas fin à la famille comme telle – puisqu'il y a toujours un père, une mère et un ou des enfants –, mais elle marque le terme d'une forme de famille, caractérisée par la cohabitation de toutes les personnes sous un même toit.

Le conflit que vivent les conjoints et qui les mène à la séparation a déjà été défini comme étant « un type de relation fondée sur l'incompatibilité des attentes mutuelles et la recherche difficile de rapports plus satisfaisants ». Le défi qui attend les parents en voie de rupture ou déjà séparés consiste à trouver une nouvelle forme à la famille, une forme différente de l'ancienne et qui leur permette de continuer d'être des parents à part entière.

Comme pour la première édition, le présent ouvrage se veut d'abord une source stimulante d'observations et de renseignements. « Mieux comprendre pour mieux agir », voilà l'invitation que nous avions lancée et que nous relançons aux parents qui se séparent. Nous misons sur le fait qu'ils ont tendance à bien réagir quand ils sont bien informés. Il s'agit en quelque sorte de capitaliser sur l'intelligence et sur la capacité des personnes d'instaurer les solutions qui correspondent à leurs difficultés.

Nous, les trois auteurs, nous sommes à nouveau réunis avec cette idée de vous livrer ce que nous savons sur ce thème de la famille au moment de la séparation et après la rupture. Bien entendu, nous n'avons pas de réponses à toutes les questions. De plus, nous ne traitons pas dans ce livre des situations particulières de violence conjugale, de troubles psychiatriques ou d'abus de tous ordres. Il se peut donc que certaines de vos interrogations demeurent sans réponse. Si tel est le cas, nous vous invitons à consulter les services spécialisés en ce domaine.

Pour notre part, nous avons surtout axé nos réflexions sur le choc psychologique de la séparation, sur la transformation de la famille, sur la place de l'enfant lors de la rupture et sur le fait que l'enfant a besoin de ses deux parents. Dans cette nouvelle édition, nous nous attardons d'ailleurs à ce que représentent un père et une mère pour l'enfant. Nous présentons également, comme dans l'édition précédente, un concept de coparentalité basé sur une communication efficace entre les parents. À l'aide d'expériences originales d'aide comme les groupes de soutien pour les enfants et des groupes d'information à l'intention des parents, nous illustrons les difficultés qui peuvent survenir et proposons des moyens efficaces pour les surmonter. Nous touchons aussi le délicat problème de l'aliénation parentale dans le contexte de la séparation, tout en dénonçant certains mythes concernant la famille séparée. Enfin, nous nous intéressons à ce que sont devenus les enfants du divorce une fois adulte.

Encore une fois, ce livre met à votre portée l'expérience précieuse des personnes qui vous ont précédés dans ce genre d'épreuve et que nous avons accompagnées tout au long de leur processus. Nous pensons que les connaissances ainsi acquises ne nous appartiennent pas en exclusivité et c'est avec plaisir que nous partageons avec vous ce riche patrimoine d'informations et de réflexions.

Bonne lecture !

Note

1. Noreau, P. et C. Gendreau. *La médiation familiale : attentes, conditions et prédispositions des conjoints.* Centre de recherche en droit public, Université de Montréal, 2000.

CHAPITRE 1

Le choc psychologique de la séparation

par Harry Timmermans

L'importance de comprendre le passage difficile de la séparation

Il y a un moment dans notre vie où nous devenons conscients qu'il y aura une séparation ou un divorce. Cette prise de conscience déclenche toute une série d'émotions et nous sommes précipités dans un univers inconnu et menaçant. La manière dont nous allons gérer et comprendre cette crise influencera notre quotidien pendant plusieurs années et peut-être même pendant le reste de notre vie. Nous nous préparons des lendemains difficiles si nous ignorons la difficulté de ce passage.

De manière générale, nous savons comment construire une relation affective ; nous l'avons appris soit directement de nos parents, soit par la culture qui nous entoure (films, écrits...). Nous savons comment plaire, comment nous présenter sous un jour favorable, comment faire en sorte qu'une certaine séduction entre en jeu et permette la construction d'une relation affective. Cependant, personne ne nous a vraiment enseigné comment déconstruire cette relation affective. Généralement, lorsque cette éventualité se concrétise et s'impose à nous, nous y faisons face sans vraiment réfléchir. Nos réactions, souvent impulsives et parfois désordonnées, peuvent avoir des conséquences difficilement réversibles.

Les conjoints risquent parfois de se dénigrer l'un envers l'autre et de ne plus se reconnaître comme parents par la suite.

Il nous faut regarder de plus près cet événement qu'est la séparation, car nous avons plus souvent tendance à démolir notre relation affective qu'à la déconstruire. La démolition est plus rapide et plus satisfaisante à court terme, car elle apporte une sorte de soulagement et semble combler un besoin puissant de défoulement. Toutefois, à moyen terme, cette réaction n'apporte aucune véritable solution et comporte un grand danger. En effet, si les querelles qui opposent les membres du couple sont violentes et durent longtemps et si la démolition de leur relation affective engendre une situation d'agression mutuelle, ceux-ci risquent de se dénigrer comme conjoint et conjointe et de ne plus se reconnaître comme parents lorsque la crise sera passée. La « fonction parent », qui doit survivre au choc, s'imposera alors du simple fait que les enfants sont encore là et que la vie continue. Car il faut se rappeler que la famille existe encore, tant qu'il y aura un papa, une maman et des enfants. Ce qui a disparu, c'est la famille telle qu'on se la représentait : papa, maman et les enfants vivant sous le même toit. Trouver une nouvelle forme à notre famille, meilleure que l'ancienne, devrait devenir notre objectif ultime. En même temps, il nous faut prendre conscience que nous allons vivre dans cette nouvelle forme de famille. Ce souci de l'avenir ne devrait jamais nous quitter, car « le meilleur moyen de connaître l'avenir, c'est de le créer [1]».

En démolissant la relation affective, on risque aussi de briser ce qui devra être réparé par la suite, c'est-à-dire la relation parentale. Pendant le reste de votre vie, vous serez les parents des mêmes enfants et il est difficile, voire impossible, de faire confiance à celui ou à celle qu'on a combattu avec tant de hargne. Le risque est alors très grand que le conflit, normalement limité dans le temps, se transforme en crise interminable. Voilà pourquoi il est si important de se comprendre et de comprendre ce qui se passe au cours de la période qui correspond au choc psychologique de la séparation.

Un choc psychologique

Chacun a l'occasion, au cours de sa vie, de connaître quelques « chocs de vie » : la maladie, la perte d'un être cher... Ce sont là des expériences difficiles, qui nous marquent profondément. La séparation ou le divorce entraîne un choc psychologique qui peut être assimilé à un véritable choc de vie. Cela en fait d'ailleurs une expérience intense et marquante. Un choc de vie est une expérience vécue qui, par sa puissance, a la capacité de modifier notre personnalité. Peu d'événements ont ce pouvoir de nous modifier en profondeur.

Nous sommes généralement animés par le besoin impérieux d'avoir raison.

Pendant la crise de la séparation, nous ne sommes pas en très bonne forme émotive et notre structure psychologique prend une couleur particulière. Ainsi, notre capacité d'écoute est généralement très faible et nous contenons mal nos réalités affectives intérieures. De plus, nous sommes généralement animés par le besoin impérieux d'avoir raison, ce qui laisse peu de place à une réflexion rationnelle. Pourquoi avons-nous tant besoin d'avoir raison ? Comment expliquer un tel comportement ? Les requêtes judiciaires illustrent souvent ce besoin d'avoir raison et cette volonté d'imposer notre point de vue. Nous avons également tendance, pendant la période où se produit la séparation, à conjuguer au présent les expériences du passé. Cependant, la personne qui vit dans le passé ne peut être sensible à ce qui se passe d'important dans le présent. Ce dont nous avons vraiment besoin au moment de la séparation, c'est de comprendre ce qui se passe réellement pendant ce choc psychologique. Or, à ce moment particulier de notre vie, nos émotions sont généralement brisées et elles sont mauvaises conseillères. Nous devons ainsi apprendre à nous méfier de nous-mêmes d'abord. Heureusement, il nous reste des facultés intactes comme l'intelligence. Et puisque l'information est la principale nourriture de l'intelligence, il devient alors impérieux de bien se renseigner avant de prendre des décisions importantes et de ne pas oublier que plus nous en savons, mieux nous réagissons.

Les émotions difficiles

Il faut faire face à un très grand stress pendant la crise de la séparation. Un auteur réputé, Thomas Holmes[2], a élaboré une échelle de stress en classant les différents événements de la vie en fonction du stress qu'ils génèrent. Les deux premiers événements qui apparaissent sur cette échelle concernent la «vie de couple»: l'événement le plus stressant est la mort de l'être aimé et, le deuxième, la séparation ou le divorce. Si vous trouvez l'expérience de la séparation difficile et stressante, c'est qu'elle l'est réellement; face à un si grand stress, il ne faut pas demeurer passif.

Dans le contexte particulier de la séparation, la situation de stress est générée par de très nombreux sentiments ou réalités: la tristesse devant le départ de l'autre, la colère face à ce qui arrive et qui n'était pas souhaité, la culpabilité liée à l'échec de la relation, l'anxiété provoquée par un avenir incertain, le sentiment d'abandon et de rejet, l'appauvrissement économique, les pertes relationnelles (avec les enfants, la famille élargie, le réseau social, avec soi-même), l'augmentation des responsabilités du parent gardien et la détresse du parent qui voit moins ses enfants. On constate que ces situations génèrent beaucoup de stress. Or, nous sommes capables d'y faire face.

Pour nous en convaincre, supposons un moment que l'ensemble des situations décrites représente cent points de stress. Il s'agit là d'une réalité qui peut devenir destructrice à moins de trouver des moyens de l'atténuer. Si nous avons quelqu'un à qui parler, nous pouvons réduire les facteurs de stress d'une dizaine de points. Si nous comprenons ce qui nous arrive, nous pouvons soustraire une vingtaine de points. Si nous nous accordons du temps pour absorber cette difficile réalité, pour lire sur la séparation parentale, par exemple, nous diminuons encore le nombre de points de stress. Nous ne parviendrons jamais à éliminer complètement le stress, mais nous pouvons cependant le ramener à un niveau non destructeur. Nous récupérerons de cette façon l'énergie dont nous avons besoin pour vivre la crise et en ressortir avec des capacités comparables, sinon supérieures, à celles que nous avions auparavant.

Il nous faut comprendre que sous l'effet d'un stress aussi intense, nous avons tendance à adopter un comportement qu'on peut qualifier d'anormal ou de bizarre, à dire des sottises, à nous donner parfois en spectacle, au point où nous ne nous reconnaissons plus et nous ne reconnaissons plus l'autre : c'est la crise. Paradoxalement, pour survivre comme parents pendant cette crise, il faut souvent se pardonner beaucoup d'erreurs et de fautes et résister à la tentation de souligner les écarts de conduite de l'autre. Les requêtes judiciaires montrent assez bien comment, sous l'effet d'un stress intense, il devient facile et même tentant d'exploiter les faiblesses de l'autre.

Nous avons observé, au cours des années, qu'on peut diminuer notre niveau de stress en cessant de vouloir gérer la réaction de l'autre. L'autre réagit pour des motifs qui nous échappent, que nous ne comprenons pas, qui ne nous appartiennent pas et sur lesquels nous n'avons aucun pouvoir. Nos énergies sont précieuses et il n'est pas indiqué de les gaspiller en adoptant des attitudes qui ne nous apporteront que frustration et déception. L'énergie économisée pourrait servir à gérer nos propres réactions, celles sur lesquelles nous avons du pouvoir. Nous sommes les seuls responsables de nos réactions ; nous sommes les seuls capables de donner un sens et une orientation à nos réactions. Si nous reprenons le contrôle de nos réactions, nous aurons le sentiment de reprendre le contrôle de notre vie. Cela est très rassurant et contribue grandement à diminuer notre niveau de stress.

Nous avons tendance à retenir les mauvais moments de ce passage ou de ce choc pour évaluer les capacités de l'autre lorsque la « fonction parent » est interpellée, car les enfants nous en rappellent soudainement l'existence. Nombreux sont ceux qui ne croient plus en la valeur de « l'autre » pour des motifs justement liés à ce moment de stress. Il est souvent très difficile d'évoquer les bons moments vécus avec l'autre, car les souvenirs désagréables sont généralement plus tenaces. Il y a pourtant eu de bons moments, car les conjoints ont suffisamment cru l'un en l'autre pour fonder une famille, formuler un projet de vie et s'y engager. Ces aspects positifs n'ont certainement pas disparu, mais ils sont invisibles en ces temps difficiles. On a souvent l'impression que plus rien n'existe, que rien n'était vrai et qu'il n'y a plus d'avenir.

Nous ne donnons généralement pas une image réelle de ce que nous serons lorsque la crise sera terminée.

Nous ne sommes donc pas en très bonne forme pendant la période de la séparation et nous ne donnons généralement pas une image réelle de ce que nous serons lorsque la crise sera terminée. Nous appelons « crise » ce moment si pénible du choc psychologique de la séparation ; nous avons observé que cette crise peut durer environ deux ans, selon le niveau de réflexion de chacun, avant de se résorber. Par conséquent, il faut éviter à tout prix de se juger ou de juger l'autre personne qui est soumise à ce stress.

Nous ne pouvons pas parler du choc psychologique de la séparation sans parler de la souffrance, car elle fait partie intégrante du processus. Or, tous autant que nous sommes, nous faisons presque tout pour l'éviter. Personne ne veut vraiment souffrir, même si nous avons une attitude paradoxale à l'égard de la souffrance. Ainsi, lorsque des moments de souffrance physique se présentent, nous recourons immédiatement à des mécanismes de soulagement et prenons par exemple des analgésiques. En fait, nous refusons toute souffrance qui n'a pas de sens, comme celle qui précède la mort. En revanche, nous acceptons plus facilement les souffrances qui ont un sens. Ainsi, nous nous rendons de notre propre chef à un rendez-vous chez le dentiste même si nous savons que nous allons probablement souffrir ; dans ce cas, la souffrance a un sens dans la mesure où une dent sera réparée et sauvée. C'est ce paradoxe que nous devons exploiter pendant la période de la séparation.

Dans la majorité des cas, la souffrance est le résultat du sentiment de rejet qui est si souvent ressenti tant par la personne qui subit la décision que par celle qui la prend. Nous avons longtemps pensé que le sentiment de rejet était plus douloureux pour la personne qui subissait la décision, mais de très nombreux témoignages nous ont amenés à croire qu'il était partagé. Celui qui prend la décision l'éprouve aussi, car il a l'impression de ne pas avoir été accepté dans son originalité ou de ne pas avoir été compris dans son « projet de vie ».

La période de la séparation peut être vécue comme une « faillite affective ». Or, nous sommes très sensibles et très vulnérables dans une pareille situation. De fait, toute « faillite affective » engendre une grande souffrance qui ne semble pas avoir de sens. Si nous ne prenons pas alors les moyens nécessaires, nous ferons un premier pas vers un état de révolte. En effet, une souffrance qui n'a pas de sens nous oriente vers l'absurde et l'absurde autorise la révolte. Il faut donc trouver un sens à cette souffrance et, pour y arriver, faire une recherche de sens. Cela se fait souvent seul avec soi-même, dans un contexte de réflexion et d'authenticité : nous sommes généralement capables de ces moments d'introspection qui, bien que normaux, sont difficiles après une dure épreuve. Par ailleurs, il est possible que nous ayons besoin de l'aide d'un ami sincère ou d'une personne spécialisée dans ce domaine. Dans tous les cas cependant, la tâche véritable nous appartient.

Blâmer l'autre n'adoucit pas notre peine.

Au début de notre recherche de sens, nous sommes généralement tentés de rejeter la faute sur l'autre. Il est en effet facile et « libérateur » de blâmer l'autre pour la souffrance de la séparation. Agir ainsi, c'est un peu comme monter sur le premier barreau d'une grande échelle pour contempler l'horizon : on ne voit rien qu'on ne voyait déjà. Blâmer l'autre n'adoucit pas notre peine et ne permet pas de « comprendre » ce qui se passe. De plus, blâmer l'autre contribue à alimenter le conflit et n'est donc ni utile ni souhaitable.

À cette étape, nous prenons habituellement conscience qu'il nous est impossible de changer l'autre. Nous avons payé cher pour apprendre cette vérité de base : l'autre ne changera pas parce que nous le voulons, mais seulement s'il le veut. Chercher à le faire constitue une perte de temps et d'énergie considérable et n'offre aucune véritable issue. Nous comprenons dès lors que nous devons nous concentrer sur la seule chose sur laquelle nous avons vraiment du pouvoir, c'est-à-dire nous-mêmes. C'est là que doit commencer la recherche de sens.

Il s'agit donc de nous regarder nous-mêmes et de chercher ce qui nous appartient en propre dans cette terrible crise, car la faute n'en incombe jamais à une seule personne. Il s'agit d'une responsabilité partagée : personne n'est entièrement responsable du problème, mais tout le monde l'est en partie.

Nous sommes irrémédiablement condamnés à revivre ce que nous n'avons pas compris.

Il est difficile de reconnaître sa part de responsabilité. C'est une démarche qui se fait généralement seul, car les amis, les parents ou la famille immédiate ont souvent tendance à se montrer complaisants. Or, il devient difficile de se mentir à soi-même dans ces moments d'introspection. Les vérités de base apparaissent peu à peu et c'est à ce moment-là qu'il faut être fort et lucide pour reconnaître son degré de responsabilité. Ce n'est qu'alors que commence véritablement la « reconstruction » de notre vie, car nous sommes en mesure de comprendre ce qui s'est passé et de savoir que nous n'avons pas souffert pour rien.

On peut avoir de la difficulté à aborder cette étape ou ne pas en être capable à un certain moment. C'est tout à fait normal, et l'occasion se représentera un peu plus tard. Il s'agit d'une étape incontournable qu'il faut franchir pour éviter de piétiner et de pleurer indéfiniment sur son sort. Nous sommes en effet irrémédiablement condamnés à revivre ce que nous n'avons pas compris. C'est là une grande leçon. Plusieurs personnes changent d'emploi, d'amis, de conjoint ou de pays avant de se changer elles-mêmes ; pourtant, se changer soi-même constitue le plus grand défi.

La recherche de sens que nous entreprenons nous permet de voir ce que nous n'aurions pas vu autrement. C'est ce que l'on appelle une « prise de conscience », un changement profond qui s'inscrit dans la personnalité des gens plutôt que dans leur mémoire, et qui en fait des êtres nouveaux. Les événements de notre vie que nous inscrivons dans notre personnalité nous changent, modifient notre manière d'être et de penser, tandis que ceux que nous classons dans la mémoire finissent souvent par sombrer dans l'oubli. Malheureusement, il arrive que des personnes inscrivent leur expérience du divorce dans leur mémoire ; il y a alors un grand risque que l'expérience se répète.

Une personne peut se rendre compte, par exemple, qu'elle s'est unie à une autre personne parce qu'elle ne pouvait pas vivre seule et qu'elle ne pouvait pas vivre seule parce qu'elle ne pouvait pas vivre avec elle-même. Il s'agit là d'une prise de conscience qui ne peut que promettre des jours meilleurs.

Une personne peut aussi se rendre compte qu'elle a des comportements contrôlants, qu'elle gère mal sa colère, qu'elle n'est pas suffisamment à l'écoute des autres ou qu'elle fait passer le travail avant la famille. Ces prises de conscience nous permettent de grandir : elles donnent un sens à la souffrance et ouvrent de nouvelles perspectives d'avenir.

L'issue normale de la crise est un état amélioré.

Il ne faut jamais oublier que l'issue normale de la crise est un état amélioré et que cette amélioration passe nécessairement par une élévation de notre niveau de conscience. Après un événement comme celui-là, nous avons la possibilité de devenir « meilleurs » qu'avant, d'être plus éveillés à ce qui se passe autour de nous, plus attentifs aux autres et à nous-mêmes. Pour y arriver, il faut d'abord accepter de prendre la part de responsabilité qui nous revient dans cette crise. Autrement, une telle situation n'a pas de sens et ne fait que générer une souffrance inutile.

Les moments forts de la séparation

La crise de la séparation comporte deux moments forts. Le premier est le moment où nous faisons part de notre décision ou encore celui où nous apprenons et prenons conscience que l'autre a vraiment l'intention de nous quitter. Le second correspond à la cessation de la vie commune ou au départ de l'un des conjoints.

La fonction première de la colère est de nous libérer du passé.

Ces deux moments donnent lieu à une situation de crise. Il est sans doute important de savoir que les effets de ce choc psychologique (comme le stress et la souffrance) sont prévisibles et normaux. Bien souvent, c'est aussi à ce moment-là que nous manifestons notre colère ou que nous recevons la colère de l'autre.

La colère est un sentiment normal dont la fonction première est de nous libérer du passé. Toute personne peut éprouver de la colère. Elle indique qu'un acte de libération est en train de s'opérer et elle a donc un sens. Toutefois, si la colère de l'un menace l'intégrité de l'autre, il ne s'agit plus de colère, mais de violence, et la violence n'est jamais une solution.

Parfois, la crise s'étire dans le temps : c'est souvent le prix à payer pour ne pas avoir compris ce qui nous arrivait et, en pareil cas, la souffrance s'installe de façon durable. Voici des paroles d'enfants qui résument bien cette situation : « Ça donne quoi le divorce si papa et maman continuent de se disputer ? » Lorsque nous sommes plongés dans une crise interminable, et que l'issue normale — c'est-à-dire un état amélioré — ne survient pas, il faut faire les choses autrement, car la répétition des mêmes comportements donnera toujours les mêmes résultats.

Certes, chacun a droit à l'erreur, mais répéter toujours la même erreur est une insulte à l'intelligence. Lorsque l'horizon est bouché, il faut faire appel aux autres, aux amis ou aux professionnels qui pourront peut-être nous aider à mettre fin à cette répétition. Nous n'avons jamais entendu quelqu'un dire : « Je vais divorcer et vous allez voir, ça va être pire après. » Chacun souhaite une amélioration de sa condition après la séparation.

Le processus de prise de décision

Nous ne pouvons pas clore le chapitre du choc psychologique de la séparation sans parler du processus de prise de décision, qui est bien particulier dans ce contexte. Si, à l'époque de la construction de la relation affective, les deux personnes semblaient d'accord sur une orientation fondamentale et mutuelle, la décision de la séparation est généralement prise de manière unilatérale. C'est là que se situe le déséquilibre qui est souvent à l'origine de la crise. Par ailleurs, les hommes et les femmes n'abordent pas le processus de décision de la même manière.

Ce sont généralement les femmes qui voient les premières que l'union n'a plus beaucoup de sens.

Il ne s'agit pas ici de dresser un sexe contre l'autre, mais de comprendre de quelle façon les choses se déroulent habituellement. Dans environ 70 % des cas, ce sont les femmes qui prennent la décision de se séparer. Ce sont elles qui voient généralement les premières que l'union n'a plus beaucoup de sens, qu'il n'y a plus d'évolution et que le projet du couple ne va nulle part. Elles tentent alors par toutes sortes de moyens de redresser la situation, mais elles ne sont habituellement ni « vues » ni « entendues ». Dans ces conditions, elles prennent peu à peu la décision de mettre fin à l'union. Ce processus difficile, ponctué de moments de doute et de culpabilité, s'étire généralement sur quelques années. Plusieurs questions surgissent, par exemple : « Est-ce que je peux faire cela aux enfants ? » ou « Peut-être y a-t-il une autre solution ? » Ces questions parsèment un itinéraire qui n'est jamais facile. Les femmes font part assez ouvertement de leurs réflexions et, en général, elles expriment clairement leur insatisfaction et leur intention de mettre fin à l'union si rien ne change. À cet égard, nous n'oublierons jamais cette confidence d'une femme : « Je lui ai dit, chanté, écrit, pleuré et crié, mais il ne m'a jamais écoutée. »

Les hommes ne réagissent que lorsque la perte relationnelle est imminente ou réelle, pas avant.

Dans ce domaine particulier, les hommes ne réagissent que lorsque la perte relationnelle est imminente ou réelle, pas avant. À un certain moment, l'homme prend conscience que sa compagne va partir et, surpris, il réagit enfin. Il tente généralement de la faire changer d'idée en lui proposant notamment de « faire un voyage » ou de « rénover l'appartement » ; bref, de se lancer dans un projet qui mobilise les deux conjoints. Ce type de réaction témoigne du retard des hommes à comprendre la situation. L'homme ne soupçonne pas le cheminement de sa conjointe et, comme ses propositions ne trouvent pas une oreille sympathique, la crise s'installe avec toutes les caractéristiques décrites antérieurement. Il arrive bien sûr que ce soit l'homme qui prenne la décision de la séparation, mais c'est souvent parce qu'il est déjà avec une autre compagne, et même dans ce cas, la crise s'installe. Les particularités du processus de prise de décision suggèrent une autre différence entre l'homme et la femme ; tous deux souffrent autant dans ce processus, mais pas en même temps, ce qui contribue à augmenter la distance qui s'installe entre eux.

Ce sont les décisions justes, équitables, comprises et acceptées qui résistent le mieux au temps.

La personne qui prend la décision de la séparation semble plus sereine et plus sûre d'elle. Elle semble savoir où elle va, elle a des scénarios alternatifs de vie, car elle a souvent eu quelques années pour y réfléchir. Celle qui subit la décision ne sait généralement pas quoi faire, elle est « en décalage », elle fait souvent preuve d'agressivité à cause du terrible sentiment de rejet qu'elle vit. Ce sont donc des personnes en déséquilibre qui doivent prendre des décisions importantes au sujet de la garde des enfants, de la liquidation du patrimoine familial… Il arrive souvent que ces décisions, prises dans un moment de crise, ne résistent pas au temps, et ce qui a été conclu hier est remis en question dès le lendemain.

L'équilibre nécessaire pour prendre de bonnes décisions se rétablit quand les deux personnes acceptent la situation. Cela n'est pas facile et demande du temps. Il faut créer un contexte positif de résolution de conflits qu'on peut résumer par l'expression « les bonnes personnes au bon endroit et au bon moment ». Les bonnes décisions, celles qui résistent le mieux au temps, sont les décisions justes, équitables, comprises et acceptées. Pour accéder à ce niveau supérieur d'organisation, il faut être conscient de ce qui se passe pendant le choc psychologique de la séparation.

La compréhension du choc psychologique de la séparation

La compréhension du choc psychologique de la séparation nous donne l'énergie et la volonté de réorienter notre vie selon des valeurs compatibles avec une nouvelle forme de famille, meilleure que l'ancienne, qui nous apporte le sentiment si important de rester parents après la séparation. Le chapitre 5 aborde en détail la réalité coparentale, mais nous invitons les parents qui se séparent à prendre connaissance dès maintenant de la *Charte de la coparentalité.* Il s'agit d'un document que nous avons écrit au fil des années pendant lesquelles nous avons observé et accompagné des parents et des enfants dans le cheminement difficile de la séparation. Les confidences, les intuitions et les découvertes des enfants et des parents constituent l'essentiel de cette charte.

Une charte est une énumération de principes fondamentaux qui doivent agir comme un phare et offrir une orientation salutaire et nécessaire. Nous pensons que ces principes de coparentalité peuvent guider les parents dans la reconstruction de la relation parentale.

La Charte de la coparentalité

- Chacun considère que l'autre fait de son mieux dans le meilleur intérêt de l'enfant (ce principe met les parents à l'abri de critiques inopportunes au cas où l'enfant manifesterait, par exemple, des difficultés de comportement lorsqu'il est avec l'un ou l'autre des parents. Ce principe fait aussi référence à la confiance que l'on doit conserver au sujet des capacités de l'autre).
- Chacun considère que l'autre parent est le meilleur gardien possible de l'enfant en cas d'imprévu (il s'agit là vraiment d'un principe de plaisir, tant pour l'enfant que pour le parent).
- Les parents se consultent sur les questions importantes (la santé, l'éducation et l'orientation de leur enfant) ainsi que sur les documents relatifs à ces questions.
- Les parents se partagent la responsabilité économique de l'enfant en fonction de leurs moyens respectifs (l'argent est souvent une cause importante de mésentente entre les parents et mérite, par conséquent, une attention particulière. Il existe des outils pour calculer

d'une façon juste et équitable le partage des coûts liés à l'éducation d'un enfant).

- Chacun des parents entretient une image positive de l'autre parent auprès de l'enfant.
- Les parents maintiennent entre eux une communication efficace au sujet de leur enfant, selon les modalités qu'ils jugent à propos.
- L'enfant a la liberté d'exprimer à un parent l'amour qu'il ressent pour l'autre parent.

Les principes de cette Charte sont simples et contiennent pourtant une promesse de vie meilleure pour les parents. Il est évident que les enfants bénéficieront aussi de la résolution de la crise et de l'émergence d'une situation nouvelle et meilleure que l'ancienne. Peut-être songerez-vous, un jour, lorsque vous regarderez l'histoire de votre vie et que vous percevrez cette séparation comme une étape difficile mais importante pour votre famille, à remercier la personne qui, réalisant que le couple n'allait nulle part, a apporté une solution à l'impasse et permis la réalisation d'un état amélioré dont tous les membres de la famille ont bénéficié. Vous pourrez aussi vous féliciter d'avoir pu et su, avec le temps, vous y adapter.

Notes

1. Citation attribuée à Peter DRUCKER, théoricien américain du management.
2. HOLMES, T. et R. RAHE. « The Social Readjusment Rating Scale ». *Journal of Psychosomatic Research*, 1967.

CHAPITRE 2

Les transitions familiales

par Richard Cloutier

Il est normal que la famille se transforme

Dans le cycle normal de la vie d'une famille, on s'attend à ce que plusieurs changements importants se produisent. Ainsi, à l'arrivée du premier enfant, le couple doit se réajuster aux multiples besoins du bébé : horaire de sommeil, nourriture, hygiène, vêtements, soins de santé, etc. Par la suite, quand l'enfant entre à la garderie ou à la maternelle, il doit lui-même s'adapter aux différents changements, tout comme ses parents.

L'arrivée d'un deuxième enfant, l'entrée au secondaire de l'adolescent et le départ de l'aîné en appartement entraînent d'autres modifications dans le mode de vie des membres de la famille. Ces transitions remettent en cause les liens et les rôles au sein de la famille et requièrent des ajustements mutuels. Si certaines familles vivent facilement ces étapes, d'autres ont plus de mal à retrouver leur équilibre. Toutes ces transitions font cependant partie du cycle normal de la vie familiale : elles s'inscrivent dans la vie courante et on s'y attend.

En plus de ces étapes normales, l'équilibre familial est parfois perturbé par d'autres types de transitions, inattendues celles-là. Un décès, une hospitalisation prolongée, le retour d'un parent à la suite d'une longue absence à l'étranger et la séparation des parents constituent des exemples d'expériences déstabilisantes qui dérèglent le fonctionnement familial. Même si un bon nombre de familles vivent ce type d'événements, ceux-ci ne s'inscrivent pas dans le cycle normal de la vie familiale. Et le stress lié à ces situations s'ajoute aux défis que posent les autres exigences de la vie courante. C'est pourquoi ces transitions « hors cycle » représentent souvent des défis considérables pour les membres de la famille.

La séparation des parents est vécue de façon très différente selon les caractéristiques des acteurs en présence, le moment où le changement survient dans leur vie et la façon dont la rupture se fait. Les forces des personnes, la qualité de leur relation, les problèmes auxquels elles font face par ailleurs dans leur vie (école, emploi, finances, consommation, santé, etc.), leur attitude à l'égard de la séparation et l'idée qu'elles se font de ce qui se passe et de ce qui va se passer dans leur famille influencent significativement la capacité des personnes à s'adapter aux transitions et aux changements familiaux.

Que faire pour y voir plus clair ?

- Recueillir de l'information pour mieux comprendre les effets de la séparation des parents sur les enfants et les adultes afin de prévenir les problèmes, de protéger les ressources et de prendre les meilleures décisions possible.

- Demander conseil à des personnes accréditées afin de prendre les meilleures décisions possible. Ce n'est pas là un signe de faiblesse, mais bien de sagesse que d'aller chercher de l'aide pour préparer l'avenir.
- Se donner du temps, prendre le temps de réfléchir. Souvent, dans le contexte tourmenté d'une séparation, on prend des décisions majeures à l'improviste, ce qui peut affecter la valeur de ces décisions et nuire à tout le monde à long terme.

On n'a plus les parents qu'on avait...

Le rôle de parent conserve aujourd'hui toute son importance. Si la mère et le père demeurent incontestablement les modèles les plus significatifs pour l'enfant, le profil des personnes qui jouent ce rôle a changé de toutes sortes de manières depuis quelques années. Le ministère québécois de la Famille et des Aînés fournit plus de détails dans la publication intitulée *Un portrait statistique des familles au Québec*[1]. Nous ne présentons ici que quelques tendances importantes.

- Le rôle de parent survient plus tard qu'auparavant dans la trajectoire personnelle : dans les années 1970, l'âge moyen de la mère au moment de la première naissance était d'environ 26 ans, contre 28 ans en 2006 (30 ans pour les pères)[2].

- Comme le révèle le tableau 2.1, l'union libre constitue désormais le lien conjugal le plus fréquent entre les parents et la proportion de naissances hors mariage est passée de 9,8 % en 1976 à 63,1 % en 2010[3]. Ce qu'on appelait autrefois « une naissance illégitime » est devenu la norme aujourd'hui.

Tableau 2.1

Évolution de la proportion d'enfants nés hors mariage au Québec entre 1976 et 2009

Année	1er enfant	2e	3e	4e et +	Total
1976	14,8	5,1	4,3	7,2	9,8
1986	37,3	19,6	15,3	15,4	27,2
1996	62,3	48,9	40,7	45,7	52,8
2006	67,5	58,9	51,3	46,1	61,3
2009	69,9	61,0	53,9	49,1	63,4
2010	69,2	61,4	53,7	49,6	63,1

Source : Institut de la statistique du Québec. *Proportion de naissances hors mariage selon le rang de naissance*, Québec, 1976-2010, 2011.

Comme l'indique la figure A, les parents n'ont, le plus souvent, qu'un seul enfant (47,4 %) et ils sont moins de 15 % à en avoir trois ou plus. En 1951, on comptait presque trois enfants par famille en moyenne.

- Dans les couples de parents d'enfants en bas âge (0 à 4 ans), les mères sont généralement plus scolarisées que les pères ; elles sont plus nombreuses à détenir un diplôme postsecondaire (47,4 % contre 42,1 %) et les pères sont un peu plus nombreux à ne pas avoir de diplôme ou à n'avoir qu'un diplôme secondaire (52,9 % contre 52,6 %). Autrefois, même si les filles avaient de meilleures notes que les garçons à l'école, elles étaient moins nombreuses à poursuivre leurs études au-delà du secondaire. Le savoir étant un déterminant très puissant du niveau d'emploi et du revenu éventuel, cette tendance permet de prévoir que les mères seront de plus en plus souvent le principal revenu dans la famille québécoise de demain.

Figure A
Répartition des familles avec enfants de tous âges, selon le nombre d'enfants, au Québec

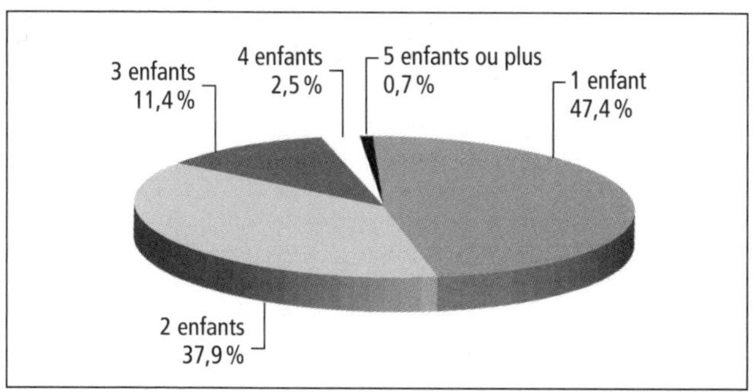

Source : Statistique Canada. *Recensement du Canada de 2006*, compilation effectuée par le MFA à partir des données du tableau B2 de la commande spéciale C0-0985 (pour 2006).

- Comme l'indique le tableau 2.2, la proportion de mères d'enfants de 16 ans et moins occupant un emploi est passée de 39,1 % en 1976 à 72,9 % en 2009. L'emploi du parent peut évidemment hypothéquer le temps disponible pour être auprès de ses enfants et augmenter les besoins de la famille en matière de services de garde. En 2006, 65,9 % des pères occupaient un emploi à temps plein contre 48,2 % pour les femmes, traduisant ainsi une implication domestique qui demeure plus grande chez les mères. Le tableau suivant illustre l'évolution de l'implication des femmes sur le marché du travail au Québec.

Tableau 2.2
Taux d'emploi des femmes ayant des enfants, selon l'âge du plus jeune enfant, de 1976 à 2009

Année	Enfants de moins de 3 ans	Enfants de 3 à 5 ans	Enfants de moins de 6 ans	Enfants de 6 à 15 ans	Enfants de moins de 16 ans	Femmes de moins de 55 ans sans enfants à la maison
1976	27,6	36,8	31,4	46,4	39,1	60,9
1981	39,3	46,7	42,1	56,2	49,3	66,0
1986	49,4	54,5	51,4	61,9	56,7	69,3
1991	54,4	60,1	56,5	69,0	62,8	72,6
1996	57,8	60,5	58,9	69,8	64,5	72,4
2001	61,3	67,0	63,7	75,3	70,1	76,8
2006	64,3	69,4	66,4	78,2	72,9	79,9
2007	65,1	72,6	68,1	79,4	74,3	80,9
2008	64,6	70,3	66,8	80,0	73,8	81,2
2009	64,4	69,7	66,5	78,5	72,9	80,4

Source : Statistique Canada, *Enquête sur la population active.*

- En 2006, plus de 80 % des mères et 60 % des pères d'enfants en bas âge (0 à 4 ans) consacraient 15 heures ou plus par semaine aux soins des enfants.

Tableau 2.3
Évolution de la proportion des familles au Québec selon la structure parentale, de 1995 à 2006

	1995	2001	2006
Total des familles avec enfants	100,0	100,0	100,0
Biparentales	74,9	76,4	75,0
Intactes	67,0	66,9	64,4
Recomposées	8,0	9,5	10,7
Complexes	2,8	3,7	4,6
Avec enfants de la conjointe	4,0	4,7	5,0
Avec enfants du conjoint	–	1,1	1,1
Monoparentales	25,1	23,6	25,0
Mères seules	19,9	19,3	19,6
Pères seuls	5,1	4,4	5,3

Source : Statistique Canada, *Enquête sociale générale*, 1995, 2001, 2006, compilation effectuée par le MFA (pourcentages) à partir des données du produit no 89-625-XIF2007001 au catalogue, site Web, 14 novembre 2008. MFA (2011). Publié dans *Un portrait statistique des familles au Québec.* Édition 2011. Québec, ministère de la Famille et des Aînés.

- Comme l'indique le tableau 2.3, la répartition des types de familles selon la structure parentale est demeurée relativement stable au Québec entre 1995 et 2006. Le quart des familles sont monoparentales et environ huit familles monoparentales sur dix sont dirigées par la mère. L'augmentation de la proportion de familles recomposées, qui est passée de 8 % en 1995 à 10,7 % en 2006, représente peut-être le changement le plus marquant. Il faut toutefois noter que ces statistiques ne tiennent pas compte de certains passages d'une catégorie à une autre. Par exemple, une famille qui était monoparentale en 2001 a pu se recomposer en 2002 et redevenir monoparentale en 2004 sans que ces chiffres en témoignent. Un enfant de 5 ans qui vit aujourd'hui un épisode de monoparentalité pourrait en vivre plusieurs autres avant d'atteindre l'âge de 18 ans.

On n'a plus les parents qu'on avait ? Certes, il y a eu des changements importants dans le profil des parents et notre brève recension des tendances passe sous silence une foule de facettes qui ont changé dans leur rôle. En raison notamment de la durée des études et de la lente insertion sur le marché de l'emploi stabilisé, le projet d'avoir des enfants arrive plus tard, tout comme l'indépendance économique des jeunes. La société des loisirs que l'on anticipait pour le XXIe siècle ne s'est pas avérée : le nombre d'heures consacrées à l'emploi par les mères et les pères n'a fait qu'augmenter. Statistique Canada (2009) rapporte que 45 % des parents canadiens travaillent plus qu'en 1980, et que cela touche davantage ceux qui ont des revenus faibles ou moyens. Les parents ont évidemment moins de temps pour leurs enfants et les besoins en services de garde augmentent. Si l'on ajoute à cela les pressions à la consommation qu'imposent les nouvelles technologies (télévisions, ordinateurs, Internet, téléphones intelligents, etc.) de même que l'augmentation rapide des prix du logement et des transports, il est clair que les tensions sont plutôt à la hausse pour les parents d'aujourd'hui comparativement à ceux d'il y a trente ans. La fratrie est de plus en plus restreinte et la famille repose beaucoup plus souvent sur une union libre entre les conjoints, une union qui ne survit pas et se transforme en monoparentalité dans trois cas sur dix. On n'a plus les parents qu'on avait… mais les rôles parentaux demeurent.

L'histoire retiendra probablement que la deuxième moitié du XXe siècle a été marquée, dans les pays industrialisés, par des transformations majeures de la famille. Longtemps considéré comme allant de soi, le modèle de la famille a changé, notamment avec l'accès à la contraception qui a permis aux femmes de décider combien d'enfants elles voulaient avoir. Il est clair que l'éducation des enfants et la tenue du ménage ne sont plus les seules activités des mères. Cette évolution rapide du rôle des femmes en dehors de la famille n'a pas été accompagnée par une redéfinition adéquate des rôles au sein de la famille : la plus grande partie des tâches ménagères demeure le lot des femmes, de sorte que la notion de « double tâche » est encore très pertinente pour décrire la situation personnelle d'une trop grande proportion de mères.

La question du statut de l'union conjugale n'est pas seulement « technique ». Elle représente en effet un facteur de risque significatif : les parents en union libre ont plus de chances que les parents mariés de vivre une séparation. Par ailleurs, la rupture survient plus tôt qu'auparavant dans la vie de l'enfant[4], ce qui laisse plus de temps pour que d'autres transitions surviennent sous forme de recomposition ou de nouvelle séparation. Ainsi, l'enfant dont les parents se séparent aujourd'hui connaîtra vraisemblablement d'autres transitions familiales : avant l'âge de 7 ans, 15 % des enfants vivront deux transitions et 5 % en vivront trois.

Faut-il être nostalgique de la famille d'antan ? La grande majorité des parents ne retourneraient pas en arrière. Les changements sont là pour rester, notamment en ce qui concerne l'insertion des mères sur le marché du travail. D'autres changements suivront encore, parmi lesquels certains sont grandement attendus. On peut notamment songer à l'engagement des hommes auprès des petits et au soutien social aux familles. Des progrès incontestables ont eu lieu dans ces domaines. Si les garderies à coût modique ont vraiment fait une différence, il faut voir les efforts que les nouveaux parents doivent déployer pour trouver un endroit où faire garder leur petit tant les places sont rares dans le système. Les congés parentaux pour les pères et les autres mesures semblables ont apporté un vent de changement dans les mentalités, mais les hommes sont encore sous-représentés dans l'univers des soins aux enfants. Il reste beaucoup à faire, mais, si la tendance se maintient, il y aura encore beaucoup de progrès dans les années à venir. Voilà pourquoi il est permis d'être optimiste en ce qui concerne la valorisation des rôles parentaux.

Que faut-il retenir de l'évolution récente de la famille ?

- ✓ La famille d'aujourd'hui compte moins de membres.
- ✓ Le plus souvent, les deux parents travaillent.
- ✓ Ils ont leurs enfants plus tard dans leur vie.
- ✓ Les parents en union libre sont plus nombreux et vivent plus de séparations.
- ✓ Les ruptures surviennent plus tôt dans la vie de l'enfant, ce qui laisse plus de temps pour d'autres transitions.

Les étapes qui suivent la séparation

La séparation parentale n'est évidemment plus un phénomène nouveau dans notre société et il s'agit d'une réalité qui est là pour rester. De nos jours, on ne peut plus considérer comme exceptionnel le fait de vivre dans une famille séparée, mais on ne doit pas non plus perdre de vue que trois enfants sur quatre vivent toujours avec leurs deux parents biologiques. Sauf dans certains contextes sociaux particuliers, les jeunes issus de familles séparées sont encore minoritaires dans leur groupe d'âge.

Le jour où l'enfant apprend que ses parents vont se séparer, il ne s'apprête pas à vivre un événement isolé mais une série de transitions plus ou moins probables. La figure suivante illustre les différentes étapes que la famille risque de devoir franchir. La séparation des parents sera peut-être suivie d'un divorce en bonne et due forme. Cependant, il importe ici de souligner qu'il ne faut pas confondre séparation et divorce. Ce dernier correspond à la mesure légale entérinant la rupture du mariage des parents. Sans que l'on puisse les dénombrer exactement, une bonne proportion de parents vivant en union libre n'officialisent pas leur rupture. Ils se séparent de la même façon qu'ils se sont unis, c'est-à-dire librement. Même les parents mariés ne divorcent pas forcément après leur séparation. Certains couples attendent plusieurs années avant de mettre légalement un terme à leur mariage par le divorce et, au moment de le faire, ils voient resurgir des conflits qu'ils croyaient complètement réglés. Pour l'enfant, c'est souvent le départ de l'un des parents au moment de la séparation qui a

Figure B
Le cycle des réorganisations familiales

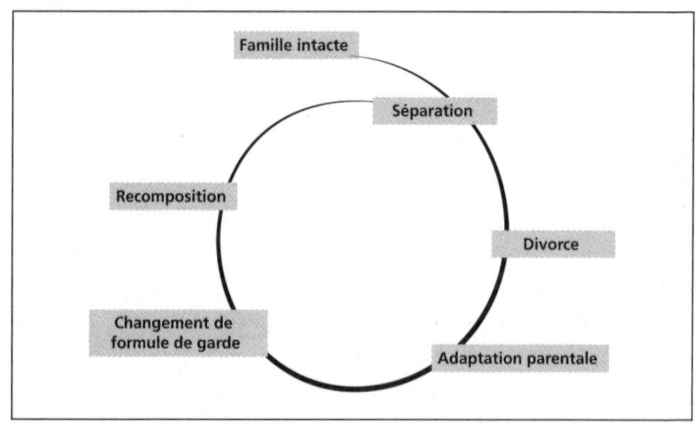

le plus d'impact. Toutefois, dans les cas où le divorce est prononcé plus tard et fait resurgir des problèmes relationnels, cette transition légale peut comporter son propre lot de stress pour l'enfant. Pour toutes ces raisons, il importe de ne pas confondre séparation et divorce dans notre compréhension des transitions familiales.

La famille monoparentale

Si certaines familles demeurent monoparentales, d'autres se recomposent très rapidement. Certains auteurs estiment que la longévité moyenne d'une famille monoparentale est d'environ cinq ans. La famille monoparentale a donc de bonnes chances de se recomposer à un moment ou à un autre.

Il faut cependant admettre que la monoparentalité n'est pas un phénomène du « tout ou rien » ; elle prend plutôt la forme d'un continuum qui comporte différents niveaux de contribution du parent non gardien. Sauf exception, les deux parents séparés continuent d'exercer conjointement l'autorité parentale à l'égard de leur enfant (soutien, surveillance, etc.) après la séparation ; c'est d'ailleurs ce qui justifie l'obligation du parent non gardien de fournir une pension alimentaire correspondant à ses moyens, mais aussi le droit des deux parents de réclamer le maintien des contacts avec leur enfant. Bref, la monoparentalité n'implique pas l'exclusion du parent non gardien. Comme nous le verrons plus loin, le chef d'une famille monoparentale a tout avantage à valoriser et à accueillir positivement les contributions de l'autre parent: le grand défi de la famille monoparentale consiste en effet à continuer de satisfaire les besoins de ses membres avec des ressources amoindries.

Si les ressources sont généralement réduites par le départ d'un des parents, les besoins, eux, ne diminuent pas. On estime que les femmes qui se retrouvent seules avec la garde des enfants après la séparation subissent une perte de revenu de l'ordre de 23 %, tandis que les hommes connaissent une augmentation d'environ 10 %[5]. Pour le parent gardien, cette période peut comporter de grands défis, notamment celui de porter une charge parentale croissante avec des ressources moindres, ou encore d'être toujours « de service » faute de moyens pour prendre du répit. Le stress engendré par ces défis peut être considérable et provoquer une détérioration des relations avec les enfants, ce qui ajoute encore au stress des membres et mine le climat familial.

Les changements de formule de garde

Il est possible que l'enfant soit amené à changer de lieu de résidence à la suite d'un changement de formule de garde. Pour lui, un tel changement peut parfois avoir plus d'impact que la séparation initiale des parents. En effet, parmi la forte majorité d'enfants qui sont placés sous la garde de leur mère après la rupture, un bon nombre d'entre eux conservent le même domicile, le même quartier et la même école; la séparation ne change donc pas leur milieu de vie. En revanche, si la formule de garde change ultérieurement, l'enfant doit aller vivre dans un nouveau domicile, parfois dans un quartier différent, ce qui peut modifier ses habitudes de vie plus encore que la séparation initiale. Cela n'est pas étranger au fait que, dans plus de 80 % des cas, les tribunaux accordent la garde à la mère après la rupture.

Il importe toutefois de souligner ici que lorsque le père défend son droit de participer à la garde et démontre ses capacités, par exemple en contestant la formule exclusive ou en réclamant la garde partagée, la probabilité que la mère obtienne la garde exclusive diminue. Certains observateurs estiment par conséquent que si les pères affirmaient de façon plus active leur volonté de s'engager dans la garde de l'enfant, la tendance des tribunaux à accorder la garde exclusive à la mère ne serait pas aussi nette[6].

La recomposition familiale

Lorsque le parent gardien s'engage dans une nouvelle relation conjugale, de nouveaux membres viennent s'ajouter à la cellule familiale. En 2006, 10,7 % des familles québécoises avec enfants étaient recomposées tantôt autour de la mère et de ses enfants (5 %), tantôt autour du père et de ses enfants (1,1 %) ou encore autour des enfants des deux parents (4,6 %)[7]. La recomposition peut donc prendre plusieurs visages. Pour s'en rendre compte, il est intéressant d'étudier les différents arrangements possibles.

Dans le cas le plus fréquent, la mère gardienne prend un nouveau conjoint qui vient vivre dans la famille comme figure parentale. Ce nouveau conjoint a peut-être des enfants sous sa garde ; ou peut-être en partage-t-il la garde avec son ex-conjointe. Cette garde partagée influencera la vie de tous les membres de la nouvelle famille. Il se peut aussi que les deux nouveaux conjoints partagent la garde des enfants nés d'unions antérieures, ce qui augmente la complexité du fonctionnement de la famille recomposée. Dans un autre scénario, c'est le père gardien qui invite une nouvelle conjointe et sa famille avec la même gamme de possibilités. L'arrivée dans la famille d'une nouvelle mère ou d'un nouveau père influence de façon différente l'ensemble de la dynamique familiale. Plus de 65 % des enfants ayant vécu la séparation de leurs parents connaîtront une recomposition familiale et, parmi eux, plus du quart vivront une nouvelle séparation[8].

Les formules de garde de l'enfant

C'est parce qu'on est parent pour la vie qu'il n'est pas possible de faire « disparaître » l'ex-conjoint. S'il peut s'éloigner et être absent physiquement, il reste néanmoins une figure significative dans la tête et le cœur de sa fille ou de son fils. Après la séparation, une foule de facteurs jouent sur la communication entre l'enfant et le parent qui n'en a pas la garde.

Que faut-il retenir de ce qui vient après la séparation ?

✓ Après la séparation, il ne faut pas s'attendre à ce que la transition soit finie ; d'autres suivront et c'est normal.

✓ Chaque étape qui suit la séparation exige une nouvelle adaptation de la part de tous les membres de la famille.

✓ Le grand défi de la famille monoparentale consiste à continuer de satisfaire les besoins de ses membres avec des ressources amoindries.

✓ Le chef de la famille monoparentale a tout intérêt à valoriser les contributions de l'autre parent dans le soutien de l'enfant, même les plus modestes. Cette attitude comporte des avantages pour l'enfant et pour le parent.

✓ Au fil du temps, il est possible que l'enfant soit amené à changer de lieu de résidence à la suite d'un changement de formule de garde. Un tel changement peut parfois avoir encore plus d'impact sur l'enfant que la séparation initiale de ses parents.

✓ On estime que la durée de vie moyenne d'une famille monoparentale est d'environ cinq ans. On peut donc s'attendre à ce qu'il y ait une recomposition familiale dans la majorité des cas.

Comme la garde est plus souvent confiée à la mère, c'est habituellement le père qui devient le parent non gardien. Avec le temps, il arrive souvent que le père non gardien et ses enfants s'éloignent. Nous avons observé que, cinq ans après la séparation, environ la moitié des enfants voient leur père non gardien une fois par mois ou moins et qu'environ le quart ne communiquent plus vraiment avec lui.

Le maintien de l'engagement parental est l'un des facteurs qui contribuent à maintenir la relation entre les enfants et le père non gardien. Or, cet engagement dépend beaucoup de la mère qui a la garde : lorsqu'elle estime que le père peut s'engager et qu'il veut le faire, celui-ci le fait beaucoup plus souvent[9]. Dans les cas, plus rares, où la mère n'est pas le parent gardien, on observe qu'elle maintient en général des contacts plus étroits : la mère qui n'a pas la garde de ses enfants s'engage davantage auprès des enfants que le père non gardien. La formule de garde des enfants est donc un élément déterminant dans l'évolution de la relation parents-enfants au cours des années qui suivent la séparation. Le tableau 2.4, à la page suivante, présente la répartition des élèves du secondaire selon l'arrangement de garde qu'ils vivent.

Il existe trois grands types de garde et chacun peut comporter de nombreuses variantes : la garde exclusive à la mère (mère seule ou mère avec un nouveau conjoint : 17,6 %), la garde exclusive au père (père seul ou père avec une nouvelle conjointe : 4,4 %) et la garde partagée (10,5 %). La garde exclusive n'implique pas nécessairement que le parent non gardien ne s'engage pas auprès de l'enfant, mais plutôt que l'enfant réside avec un seul parent et qu'il rend visite à son autre parent. Quant à la garde partagée (aussi appelée « garde conjointe »), elle implique que l'enfant vit tantôt chez sa mère et tantôt chez son père, selon un cycle plus ou moins rapide d'alternance entre les deux résidences. La loi québécoise considère que la garde est partagée (ou alternée) lorsque l'enfant passe entre 40 % et 60 % de son temps avec chacun de ses parents. La garde est dite « exclusive » lorsque l'enfant passe plus de 60 % de son temps avec l'un de ses parents[10]. Les données du tableau 2.4 ne seraient pas les mêmes si elles décrivaient la situation familiale des enfants de la maternelle, car les arrangements évoluent avec le cycle de la vie du jeune.

Tableau 2.4
Répartition en pourcentage des élèves du secondaire selon la structure familiale au Québec en 2006

Situation familiale	
Avec le père et la mère	65,6
Garde partagée égale	10,5
Avec la mère seule	9,9
Avec la mère et son nouveau conjoint	7,7
Avec le père seul	2,5
Avec le père et sa nouvelle conjointe	1,9
Autre	2,0
Total	**100,0**

Source : ISQ, *Enquête québécoise sur le tabagisme chez les élèves du secondaire*, 1998 et 2002, et *Enquête québécoise sur le tabac, l'alcool, la drogue et le jeu chez les élèves du secondaire*, 2006.

La garde à la mère

La garde exclusive à la mère est la formule de garde la plus courante après la séparation. On estime que plus de la moitié des enfants sont confiés à leur mère après la séparation des parents, que cette garde soit assurée en famille monoparentale ou recomposée. Selon les données du tableau 2.3, en page 45, les familles recomposées représentaient environ 11 % du total des familles québécoises en 2006. La moitié d'entre elles étaient matricentriques, c'est-à-dire composées d'une mère avec ses enfants et d'un nouveau conjoint[11]. Le même tableau indique que 25 % des familles québécoises étaient monoparentales et que les trois quarts d'entre elles étaient dirigées par une femme. Nous pouvons ainsi mettre un ordre de grandeur sur ce que nous savions, c'est-à-dire que les enfants vivent plus souvent avec leur mère qu'avec leur père après la séparation.

Pour l'enfant, le fait de continuer à vivre avec sa mère représente un acquis de taille puisque le lien d'attachement à cette figure parentale contribue à le sécuriser, surtout dans le contexte turbulent de la transition. Le manque de ressources constitue cependant le principal problème dans les familles monoparentales dirigées par la mère. Le revenu moyen des femmes demeure en effet plus bas que celui des hommes en raison, notamment, de l'inégalité du traitement et des conditions d'emploi. Les familles monoparentales dirigées par la mère se caractérisent par un manque criant de ressources financières : 60 % d'entre elles vivent sous le seuil de la pauvreté.

Le climat familial est affecté par le stress lié au manque de moyens. Les relations entre les membres de la famille risquent par ailleurs de se détériorer si les tensions liées aux besoins mal comblés perdurent et s'ajoutent à la surcharge du parent gardien qui ne dispose pas d'un soutien social adéquat. Le parent a tendance à devenir plus coercitif dans ses rapports avec l'enfant. Celui-ci peut, à son tour, réagir de façon extériorisée (agressivité, impulsivité, hyperactivité, etc.) ou intériorisée (retrait social, inhibition, symptômes dépressifs, perte d'estime de soi, etc.). En revanche, là où des moyens appropriés sont disponibles pour contrer le manque de ressources, un grand pas est fait, surtout pour l'enfant, qui est tributaire de la réponse apportée à ses besoins matériels, psychologiques et sociaux[12].

La société prend de plus en plus conscience du lien qui existe entre les ressources et la qualité du développement des membres de la famille. Certaines mesures récentes en témoignent. Au Québec, la perception automatique des pensions alimentaires est un exemple de mesure destinée à s'assurer que ce qui a été convenu est respecté. La mise sur pied d'un réseau de places à coût réduit en garderie est une initiative reconnue par plusieurs pays comme un succès en matière de soutien aux parents ayant de jeunes enfants. Sur le plan strictement économique, ce type de mesure est maintenant considéré comme rentable puisque les revenus de l'État associés aux diverses taxes et impôts générés par l'activité des mères en emploi et des éducatrices en garderie dépassent les coûts du système[13]. On constate de plus en plus que les économies réalisées à court terme en laissant la famille monoparentale se débrouiller seule avec sa surcharge sont négligeables lorsqu'on les compare aux coûts engendrés par le développement inadéquat des enfants.

La garde au père

La garde assumée par le père seul ou avec sa nouvelle conjointe demeure la formule de garde la moins fréquente après la séparation. Les familles monoparentales dirigées par un homme souffrent moins souvent de la pauvreté, car le revenu des hommes est généralement supérieur à celui des femmes.

Le père est beaucoup moins souvent choisi pour assurer seul la garde de ses enfants au moment de la séparation. La garde au père se présente alors souvent comme un arrangement substitut à la garde à la mère lorsque celle-ci n'est plus possible. Dans ces cas, ni l'enfant ni le père n'ont choisi de vivre ensemble et c'est souvent en l'absence d'autres options que cet arrangement familial est adopté. Enfin, il n'est pas rare de voir des jeunes aller vivre avec leur père au moment de l'adolescence.

Aidée d'une recension fouillée des écrits sur le sujet, Nielsen (2011) rapporte que la relation père-fille est particulièrement susceptible de subir des dommages à la suite de la séparation. L'éloignement du père touche encore plus les filles que les garçons, ce qui a non seulement pour effet de restreindre le soutien matériel disponible, mais également d'interrompre une relation affective très importante pour le développement identitaire. Les recherches recensées dans cette étude montrent que les filles qui passent plus de 25 % de leur temps avec un père engagé et chaleureux sont très semblables à leurs pairs issus de familles intactes. Cette tendance mérite d'être étudiée davantage, mais il est clair que le lien père-fille doit être protégé[14].

La garde partagée

Les deux parents peuvent aussi se répartir le temps de garde de l'enfant et l'ensemble des responsabilités parentales. Pour y arriver, les ex-conjoints doivent maintenir un niveau de communication fonctionnel et un minimum de qualité relationnelle. Cet arrangement est souvent critiqué parce qu'il impose à l'enfant des déplacements réguliers entre deux domiciles, ce qui entraîne une dose de stress et de discontinuité dans la vie de tous les jours. En revanche, ce mode de garde présente l'avantage d'éviter la distanciation relationnelle de l'enfant avec le parent non gardien et de maintenir les deux parents actifs dans leur engagement, avec comme résultante que ceux-ci peuvent ainsi offrir à leur enfant les ressources matérielles, affectives et sociales dont il a besoin. Dans la pratique, on observe que les parents qui optent pour la garde partagée ont tendance à être plus scolarisés et à avoir un revenu plus élevé que les autres, ce qui place leur enfant dans un environnement socio-économique plus favorable. Il existe d'ailleurs un biais lorsqu'on compare l'adaptation de l'enfant selon le mode de garde sans tenir compte de l'influence du revenu.

La garde partagée prend plusieurs visages et n'implique pas nécessairement une répartition égale du temps passé avec chacun des parents. Au Québec, les barèmes pour fixer les pensions alimentaires exigent que le parent assume 40 % du temps de garde pour être considéré comme gardien ; en dessous de ce seuil, le temps de contact entre dans la catégorie des « visites ». Dans les travaux scientifiques, toutefois, on considère que la garde est partagée si chacun des parents assure plus de 28 % du temps total de garde de l'enfant, c'est-à-dire plus de deux jours par semaine sur une base régulière. Ainsi, le parent qui s'occupe de son enfant chaque week-end et pendant les vacances partage la garde de son enfant[15]. Même si cela représente moins de la moitié du temps total de garde de l'enfant, il s'agit d'une part significative de la vie du parent et de l'enfant.

Il est important d'être sensible à la dimension qualitative du temps de garde lorsqu'on évalue l'engagement parental. Le parent qui accueille son enfant chaque week-end et pendant les vacances consacre une grande part de son temps de loisir à l'enfant, ce qui est qualitativement différent du temps de semaine où l'enfant va à l'école, même si les jours de semaine sont « quantitativement » plus importants. Plusieurs conditions doivent être réunies pour que la garde partagée réussisse. Dans certains cas, cette formule de garde est contre-indiquée, notamment lorsqu'il y a des conflits ouverts où l'enfant est utilisé comme messager ou lorsque la distance géographique entre les domiciles des parents est trop grande.

Que faut-il retenir des différentes formules de garde ?

- ✓ Il existe trois grands types de garde après la séparation et chacun peut comporter de nombreuses variantes : la garde exclusive à la mère, la garde exclusive au père et la garde partagée.
- ✓ Plus de 80 % des familles monoparentales sont dirigées par une femme ; le manque de ressources constitue le principal problème de ces familles.
- ✓ La garde au père est vécue par 5,3 % des familles.
- ✓ La garde partagée est souvent critiquée parce qu'elle impose à l'enfant des déplacements réguliers entre deux domiciles, ce qui entraîne une dose de stress et une discontinuité dans la vie quotidienne. Les parents qui optent pour la garde partagée ont tendance à être plus scolarisés et à avoir un revenu plus élevé que ceux qui choisissent les autres formules, ce qui place leurs enfants dans un contexte matériel plus favorable. Des études montrent que les enfants qui vivent dans ce contexte affichent de meilleurs indices d'ajustement que ceux qui sont en garde exclusive.

- ✓ Le maintien d'une relation positive avec les deux parents contribue au développement de l'enfant. La garde partagée est la formule qui convient le mieux, car la majorité des enfants ne souhaitent pas que leurs parents se séparent et veulent conserver leur relation avec eux. Cette formule impose toutefois des exigences, notamment en matière de gestion des conflits et de communication fonctionnelle.

Aux États-Unis, Bauserman (2002) a effectué une méta-analyse des résultats de trente-trois études différentes sur l'ajustement de l'enfant en garde partagée. Il constate que les enfants en garde partagée s'adaptent mieux que ceux en garde exclusive. La qualité de la relation entre les ex-conjoints, le maintien du contact avec les deux parents et la disponibilité des ressources matérielles sont des éléments clés qui différencient ces deux arrangements de garde. Selon l'étude, les indices d'ajustement des enfants en garde partagée sont semblables à ceux des enfants issus de familles intactes[16].

Le choix de la formule de garde : pourquoi la mère obtient-elle si souvent la garde ?

Comment se fait-il que la majorité des enfants vivent avec leur mère après la séparation de leurs parents ? Il est vrai que la mère est généralement le parent principal pour l'enfant. C'est elle qui est le plus étroitement en contact avec lui, qui s'occupe le plus souvent de répondre à ses besoins, qui est la mieux informée de ce qui lui arrive, etc. Il y a certes des exemples de familles où c'est le père qui s'occupe principalement de l'enfant. Il existe aussi de nombreux cas où le père est très actif dans les soins apportés à l'enfant. La plupart du temps, toutefois, la mère est le parent principal de la famille et la garde à la mère est souvent perçue comme la formule qui provoque le moins de perturbations pour l'enfant.

Dans les cas, encore trop nombreux, où le père est peu impliqué dans les soins apportés à l'enfant avant la séparation et où il quitte le domicile familial, la garde ne se discute pas vraiment : les enfants restent tout simplement avec leur mère, « comme avant ». À cette tendance liée au style de fonctionnement familial immédiat s'en ajoute une autre appelée « hypothèse de l'âge tendre », qui prend racine dans l'histoire de l'évolution humaine.

Selon l'hypothèse de l'âge tendre, la mère serait naturellement mieux placée pour prendre soin des enfants, surtout des tout-petits.

Chez les mammifères, c'est la femelle et non le mâle qui porte les enfants et les allaite après leur naissance. La femme qui porte l'enfant pendant neuf mois entretient avec lui un rapport biologique naturel qui fonde l'attachement mère-enfant. Le père peut s'engager activement dans le projet de grossesse et au moment de l'accouchement, mais il ne porte pas l'enfant. Ce n'est pas lui qui accouche et il ne peut pas donner le sein par la suite. L'engagement du père dans les soins est important pour le développement de l'attachement mutuel et nous y reviendrons plus tard. Force est de constater, toutefois, que même si la moitié du bagage génétique de l'enfant lui vient de son père, le rapport entre la mère et l'enfant comporte des liens biologiques plus manifestes que celui qui existe entre le père et l'enfant.

L'hypothèse de l'âge tendre repose sur ce constat universel. C'est à cette perception, qui prévaut avec plus ou moins d'intensité dans tous les pays du monde, que l'on attribue la tendance à donner plus facilement la garde à la mère en cas de conflit. On découvre cependant que la distanciation du père peut comporter un coût psychologique et social élevé pour l'enfant.

La distanciation du père n'est-elle pas dommageable ?

L'hypothèse de l'âge tendre nous pousse à croire que l'enfant qui « reste avec sa mère » vivra moins de discontinuité au moment de la séparation. L'enfant sera ainsi moins bouleversé si on lui assure une certaine stabilité dans sa relation avec son parent principal. Il en va de même pour le lieu de résidence : si l'enfant ne déménage pas, il vivra plus de continuité dans son mode de vie en contexte de séparation. C'est d'ailleurs ce que l'on observe très souvent : l'enfant reste avec sa mère et c'est le père qui quitte la résidence familiale.

Examinons d'un peu plus près la notion de « continuité » qui justifie souvent le choix d'accorder la garde à la mère. Lorsque la garde d'un enfant est confiée en exclusivité à un seul de ses parents, on lui impose souvent de se distancier de l'autre, généralement du père. Or, le père, en plus d'être la source de la moitié du patrimoine génétique de l'enfant, est généralement l'un des deux adultes les plus significatifs dans la vie ce dernier et une figure d'identification majeure. Lorsqu'on sait que les contacts avec la figure paternelle risquent d'être diminués, voire coupés après la séparation, il est difficile de prétendre que la rupture père-enfant n'est pas porteuse d'une discontinuité significative pour l'enfant. Le sens psychologique de cette rupture peut varier en fonction de l'âge, du sexe et de l'histoire relationnelle, mais elle est toujours porteuse de discontinuité. La question devient alors : « Assure-t-on plus de continuité à l'enfant en conservant son environnement matériel intact ou en préservant sa relation avec ses deux figures parentales ? »

La perspective de l'enfant

On a observé que, dans le contexte stressant de la séparation, les parents avaient tendance à tenir compte de leur seule perspective et à accorder moins de place à l'enfant dans les décisions qui le concernent que lorsque la famille ne faisait pas face à cette réorganisation[17]. On a aussi observé que plus de neuf enfants sur dix ne souhaitaient pas la séparation de leurs parents. Leur premier choix serait que les parents règlent leurs problèmes conjugaux (« cessent de se disputer ») sans se séparer. Ils souhaitent généralement continuer à vivre avec leurs deux parents. La décision du parent de se séparer va donc à l'encontre de la position de l'enfant qui veut garder ses deux parents. Dès lors, le parent qui prétend représenter les intérêts de son enfant et qui veut « parler pour lui » est potentiellement en conflit d'intérêts : sa perspective ne va pas dans le même sens que celle de l'enfant qu'il prétend représenter. Comment concilier ces perspectives différentes ?

Ainsi donc, dans la très grande majorité des cas, les enfants ne souhaitent pas la séparation de leurs parents. Lorsqu'on leur demande ce qu'ils pensent de cette séparation, plusieurs répondent: « ça va être mieux comme ça, car les parents vont moins se disputer ». Il est très rare que les enfants souhaitent que leurs parents se séparent ; ce qu'ils veulent généralement, c'est conserver leur famille, quitte à trouver des solutions aux problèmes qu'elle vit. La rupture conjugale est une décision qui vient des parents et il est généralement difficile de prétendre que les enfants en sont partie prenante : le projet des parents n'est pas celui des enfants, et la trajectoire de vie des premiers est distincte de celle des seconds. L'avenir de l'enfant est directement affecté par la séparation : il est dès lors normal qu'il ne dise pas nécessairement la même chose que l'un ou l'autre de ses parents. Dans ce contexte, il est important de laisser s'exprimer l'enfant qui vit une séparation.

L'appréciation des formules de garde

Comparons les caractéristiques psychosociales des familles séparées en fonction de la formule de garde qu'elles vivent et de leur appréciation de cet arrangement[18].

Les résultats obtenus dans nos travaux montrent que :

- Les parents qui partagent la garde de leur enfant bénéficient de revenus plus élevés et comptent une proportion moindre de divorces légaux après leur séparation ;
- Les mères qui ont la garde exclusive sont proportionnellement moins nombreuses à vivre une recomposition familiale que celles qui vivent les autres formules ;

- Les enfants en garde partagée sont plus satisfaits de leur arrangement familial que ceux qui vivent l'une des deux autres formules. On peut attribuer cette satisfaction au maintien de la relation fonctionnelle avec les deux parents et aux conditions socio-économiques dans lesquelles ils vivent ;
- C'est surtout en fonction du bien-être de l'enfant que les parents se disent satisfaits ou non de leur mode de garde et qu'ils justifient sa valeur (« dans le contexte, c'était mieux comme cela pour l'enfant »).

L'évolution des formules de garde après la séparation

Les résultats d'une étude longitudinale menée à Québec pendant plus de quatre ans auprès de cent quarante-huit enfants et adolescents de familles séparées pratiquant l'une ou l'autre des trois formules de garde montrent que :

- Les formules de garde exclusives sont plus figées dans les premières années suivant la séparation, comparativement à la garde partagée, qui affiche nettement plus de changements ;
- Au cours des dix années qui suivent la séparation, la majorité des enfants vivent un changement de formule de garde ;
- Les changements vont dans le sens d'une polarisation du temps de garde autour d'un seul parent, surtout la mère ;

- Lors des changements de garde, on observe que les filles ont tendance à aller vivre avec leur mère, tandis que les garçons se répartissent plus également entre leurs deux parents ;
- Dès l'âge de 18 ans, une proportion élevée de jeunes en garde exclusive à la mère s'en vont vivre en appartement, ce qui n'est pas le cas pour les jeunes vivant une garde partagée[20].

En résumé

Les transitions familiales influencent à long terme le parcours de vie des membres de la famille.

Au moment de la séparation, on est porté à croire que l'arrangement adopté sera permanent. Or, on constate par la suite que la famille bouge très souvent et qu'elle continue de se transformer en fonction des besoins changeants de ses membres. Au-delà de ces changements inévitables, les membres conservent toujours leurs liens de parenté.

Notes

1. MINISTÈRE DE LA FAMILLE ET DES AÎNÉS. *Un portrait statistique des familles au Québec.* Québec, 2011. http://www.mfa.gouv.qc.ca/fr/Famille/portrait-famille-quebecoise/statistique/pages/index.aspx[consulté le 14 février 2012] ; STATISTIQUE CANADA. *Évolution du temps de travail et des gains des parents au Canada.* Bulletin d'octobre 2009. http://www.statcan.gc.ca/daily-quotidien/091023/dq091023a-fra.htm [consulté le 14 février 2012].

2. Beaujot, R. et A. Bélanger. *Perspectives on Below Replacement Fertility in Canada : Trends, Desires and Accomodations.* London, Population Studies Centre, University of Western Ontario, 2001, 43 p. http://www.ssc.uwo.ca/sociology/popstudies/dp/dp01-6.pdf [consulté le 14 février 2012].

3. Institut de la statistique du Québec. *Proportion de naissances hors mariage selon le rang de naissance.* Québec, 1976-2010, 2011. Disponible en ligne à l'adresse suivante : http://www.stat.gouv.qc.ca/donstat/societe/demographie/naisn_deces/naissance/5p2.htm [consulté le 14 février 2012].

4. Institut de la statistique du Québec. *La monoparentalité dans la vie des jeunes enfants québécois : une réalité fréquente mais souvent transitoire.* Québec, 2008. http://www.stat.gouv.qc.ca/publications/sante/pdf2008/portrait_oct08monoparent.pdf [consulté le 15 février 2012].

5. Galarneau, D. et J. Stuurok. *Le revenu familial après la séparation.* Ottawa, Statistique Canada. N° de catalogue 13-588-5, mars 1997 ; Simard, M. et M. Beaudry. « Conséquences de la séparation conjugale sur les pères, les mères et les enfants. Réflexions pour la politique familiale ». Dans R.-B. Dandurand, P. Lefebvre et J.-P. Lamoureux. *Quelle politique familiale à l'aube de l'an 2000 ?* Paris/Montréal, L'Harmattan, 1998.

6. Timmermans, H. Service d'expertise et de médiation familiale du Centre jeunesse de Montréal, communication personnelle, 2000.

7. Voir le tableau 2.3. Ministère de la Famille et des Aînés. *Un portrait statistique des familles au Québec.* p. 132.

8. Marcil-Gratton, N. *Grandir avec maman et papa ? Les trajectoires familiales complexes des enfants canadiens.* Statistique Canada. N° de catalogue 89-566XIF, août 1998.

9. Beaudry, M., A. Beaudoin, R. Cloutier et J.-M. Boisvert. « Étude sur les caractéristiques associées au partage des responsabilités parentales à la suite d'une séparation ». *Revue canadienne de service social* 1993 10(1) : 9-26.

10. Éducaloi. *La garde et les droits d'accès.* 2011. http://www.educaloi.qc.ca/loi/parents/334/ [consulté le 15 février 2012].

11. Saint-Jacques, M.-C., A. Poulin, C. Robitaille et I. Poulin. « L'adaptation des enfants et des adolescents de familles recomposées ». Dans M.-C. Saint-Jacques, D. Turcotte, S. Drapeau et R. Cloutier (dir.). *Séparation, monoparentalité et recomposition familiale.* Québec, Presses de l'Université Laval, 2004.

12. CLOUTIER, R., C. BISSONNETTE, J. OUELLET-LABERGE et M. PLOURDE. « Monoparentalité et développement de l'enfant ». Dans M.-C. Saint-Jacques, D. Turcotte, S. Drapeau et R. Cloutier (dir.). *Séparation, monoparentalité et recomposition familiale.* Québec, Presses de l'Université Laval, 2004.

13. FORTIN, P. *Principaux changements économiques impliquant les familles et les enfants au Québec depuis 20 ans.* Communication présentée à l'occasion du 20e anniversaire du rapport « Un Québec fou de ses enfants ». Montréal, UQAM, octobre 2011.

14. NIELSEN, L. « Divorced fathers and their daughters : A review of recent research ». *Journal of Divorce and Remarriage* 2011 52 : 77-93.

15. CAREAU, L. et R. CLOUTIER. « La garde de l'enfant après la séparation : profil psychosocial et appréciation des familles vivant trois formules ». *Apprentissage et socialisation* 1990 13 : 55-66 ; CLOUTIER, R. et C. JACQUES. « Evolution of residential custody arrangements in separated families : A longitudinal study ». *Journal of Divorce and Remarriage* 1997 28 : 17-33.

16. BAUSERMAN, R. « Child adjustment in joint-custody versus sole custody arrangements : A meta-analytic review ». *Journal of Family Psychology* 2002 16 : 91-102.

17. CAREAU, L. et R. CLOUTIER. « La garde de l'enfant après la séparation : profil psychosocial et appréciation des familles vivant trois formules ». *Apprentissage et socialisation* 1990 13 : 55-66.

18. BARRY, S. « La place de l'enfant dans les transitions familiales ». *Apprentissage et socialisation* 1988 13 : 27-37.

19. BAUSERMAN, R. « Child adjustment in joint-custody versus sole custody arrangements : A meta-analytic review ». *Journal of Family Psychology* 2002 16 : 91-102.

20. DROLET, J. et R. CLOUTIER. « L'évolution de la garde de l'enfant après la séparation des parents ». *Santé Mentale au Québec* 1992 : 17, 31-54 ; COUTURE, B. *L'évolution de la garde résidentielle après la séparation : un suivi sur quatre ans.* Québec, École de psychologie, Université Laval, Mémoire de maîtrise non publié,1995 ; CLOUTIER, R. et C. JACQUES. « The evolution of residential custody : a longitudinal study ». *Journal of Divorce and Remarriage* 1997: 28, 17-33.

Chapitre 3

L'enfant au cœur de la séparation

par Lorraine Filion

La période qui précède la séparation

Habituellement, les mois ou les semaines qui précèdent la séparation sont des moments difficiles pour les deux membres du couple en tant que conjoints et parents. Il s'agit, dans les faits, d'un véritable rendez-vous avec le stress, d'un passage obligé vers l'inconnu.

Les périodes d'affrontement, d'évitement ou de silence sont plus nombreuses, et les adultes ont besoin de beaucoup d'énergie pour continuer d'accomplir les tâches habituelles liées à leur emploi et à leur vie familiale ou personnelle.

S'ils ont pressenti, le plus souvent, que cela n'allait plus entre papa et maman, la majorité des enfants continuent à redouter le divorce et à éprouver de l'anxiété. Lorsque l'enfant entend parler pour la première fois de séparation ou de divorce, il est surpris, triste, en colère et désemparé.

Quand doit-on informer l'enfant ?

Il est préférable d'attendre que la décision soit définitive pour en informer l'enfant. Un des conjoints peut résister à cette idée, la refuser et même espérer que le divorce n'ait pas lieu, mais si, dans les faits l'un des conjoints doit quitter la maison, il faut aviser l'enfant et l'aider à s'y préparer.

Plus l'enfant est jeune, plus l'annonce de la séparation doit avoir lieu peu de temps avant le déménagement. En effet, lorsqu'un long moment s'écoule entre l'annonce du départ et le départ lui-même, un mécanisme de refus, voire d'incompréhension, apparaît parfois chez le tout-petit.

Doit-on dire la vérité à l'enfant ?

Les enfants sont moins fragiles et moins surpris par l'annonce de la séparation que les parents le pensent généralement. Il est bon de leur donner des explications générales en évitant les blâmes ou les reproches. Si vous préférez éviter de dire qui a pris l'initiative de la séparation, il est fort probable qu'ils décoderont ce « non-dit ».

Bon nombre d'enfants s'expriment de la façon suivante : « Mes parents m'ont expliqué qu'ils avaient pris la décision de se séparer parce qu'ils se chicanaient[1] trop et qu'ils ne s'aimaient plus, mais je sais que ce n'est pas vrai. » En effet, les parents, bien intentionnés, veulent éviter que l'un des deux conjoints porte seul la responsabilité de cette décision. Malgré cette mise en scène, souvent préparée et orchestrée dans les menus détails, les enfants perçoivent, dans le regard ou le ton de la voix, dans les paroles choisies et les silences, que l'un des parents n'est pas l'initiateur de ce projet et qu'il est encore amoureux de l'autre. Si certains enfants se sentent trahis par ce manque de clarté, d'autres s'associent en silence et en secret à celui qui souhaite une réconciliation. D'autres encore tentent de découvrir les « vrais » motifs de la séparation.

Il est préférable de dire la vérité à l'enfant, même si cela demande beaucoup de courage et de détermination. Sachez que même s'il pleure, se met en colère ou feint l'indifférence, il appréciera tôt ou tard votre franchise. Même si cela est difficile et que vous éprouvez l'un envers l'autre beaucoup d'amertume en tant que conjoint ou parent, il est bon de dire à l'enfant que vous vous êtes déjà aimés. Comme le disait la célèbre psychanalyste française Françoise Dolto[2], l'enfant doit savoir que malgré la peine, la colère et la frustration, ses parents ne regrettent pas sa naissance.

À l'annonce de la séparation, beaucoup d'enfants fondent en larmes et supplient leurs parents d'essayer encore. Environ 10 % d'entre eux seulement accueillent cette décision avec soulagement, et ce sont le plus souvent des adolescents. Certains parents pleurent eux aussi à cette occasion. Est-ce vraiment dramatique si l'enfant voit pleurer ses parents ? Nous avons rencontré beaucoup d'enfants qui relataient avec minutie et en détail l'annonce de la séparation. La petite Sophie, 6 ans, racontait ainsi la scène: « C'était un dimanche après-midi, je portais une robe rouge avec des petites fleurs bleues, j'étais assise derrière mon père dans l'auto; on attendait au feu rouge, il pleuvait dehors; ma mère a dit qu'ils allaient divorcer, je ne voulais pas le croire et j'ai pleuré, ma mère pleurait aussi. »

À en juger par la réaction des nombreux enfants qui nous ont relaté ces scènes, il est beaucoup plus dommageable pour l'enfant de ne pas être informé. Ceux qui sont les mieux placés pour apprendre la nouvelle à l'enfant sont ceux qui l'aiment le plus au monde et qui le connaissent le mieux, c'est-à-dire ses parents.

Comme le souligne le renommé psychiatre Michel Lemay:

> « L'enfant doit connaître le plus clairement possible les raisons qui ont motivé la séparation, même si elles sont douloureuses à entendre. S'affronter à une réalité difficile mais connue est moins pathogène que de faire face à l'inconnu, et de se donner des réponses forcément anxiogènes[3]. »

La qualité est plus importante que la quantité

La séparation entraîne toute une série de transitions familiales qui vont se succéder au fil des mois et des années. Malgré ses aléas et ses difficultés, la vie familiale influence considérablement le développement affectif et social de l'enfant.

Que peut-on faire et dire pour aider l'enfant lors de la séparation ?

Voici quelques suggestions pour aider l'enfant lors de la séparation. Il faut évidemment les adapter en fonction de l'âge de l'enfant, des circonstances propres à chaque famille et de vos possibilités.

- **Préparez l'enfant** : quelques jours ou quelques semaines à l'avance, annoncez-lui les motifs de la séparation en lui donnant des explications brèves et générales.
- **Préparez-le au jour J,** c'est-à-dire au déménagement de la famille ou de l'un des parents.
- **Évitez si possible les changements de quartier, d'école ou d'amis.** Certains enfants établissent un lien de confiance avec leur professeur. S'il y a stabilité sur le plan scolaire, ils pourront partager avec lui leurs émotions.
- **Favorisez les liens et les visites aux grands-parents** maternels, paternels et à la famille élargie (oncles, tantes, cousins, cousines), surtout si ces liens étaient significatifs avant la rupture. Les grands-parents du XXIe siècle jouent un rôle de plus en plus actif et comptent beaucoup pour leurs petits-enfants, qui leur font parfois des confidences. Il ne faut pas négliger cette source intarissable de vie et d'amour en cette période de grande turbulence.
- **Si possible, amenez l'enfant visiter à l'avance le nouvel appartement** de la famille ou du parent qui quitte la maison.
- **Déterminez les modalités de contact** avec le parent qui quitte le domicile. Vous pouvez utiliser les services d'un médiateur ou d'un autre professionnel. Il est important de le faire même s'il s'agit de contacts provisoires, car cela rassurera l'enfant. Vous pourrez par la suite ajuster ces modalités en fonction de l'évolution de votre situation.

- **Évitez d'emménager avec un nouveau conjoint ou une nouvelle conjointe le jour de la rupture,** même si cela vous demande de l'abnégation et met votre patience à l'épreuve. Quand vient le moment d'intégrer le nouveau conjoint à la famille, préparez l'enfant à cette situation et ne le mettez que graduellement en présence de cette nouvelle personne.
- **Conservez à tout prix des moments pour être seul et d'autres pour être seul avec votre enfant.** La séparation est un grand choc dans la vie de votre enfant. Une recomposition familiale rapide est un double choc lorsque l'enfant n'y est pas préparé ; il faut respecter son rythme d'adaptation.
- **Rassurez constamment votre enfant sur votre amour ;** il a besoin d'entendre que papa et maman, même s'ils n'habitent plus ensemble, continuent à l'aimer et à s'occuper de lui.
- **Évitez de parler à votre enfant de vos conflits d'adultes,** de vos rancœurs et de vos insatisfactions face à l'autre parent. Les conflits entre parents doivent être gérés par les parents, ensemble ou avec l'aide d'un tiers (médiateur, thérapeute, avocat, etc.). Surtout, n'utilisez pas votre enfant comme messager.
- **Laissez votre enfant vivre sa vie d'enfant ;** ne lui mettez pas trop de responsabilités sur le dos et évitez à tout prix d'en faire un confident ; un enfant est un enfant. Encouragez-le plutôt à participer à des activités culturelles ou sportives de son âge.
- **Incitez votre enfant à maintenir des contacts réguliers avec l'autre parent.** Les jeunes enfants réagissent à toute séparation par de l'angoisse, de la tristesse ou de la colère. Ne croyez pas qu'il vaut mieux interrompre les contacts de l'enfant avec l'autre parent ou lui donner le choix d'aller

chez l'autre ou non, car cela ferait porter un lourd fardeau à l'enfant. À moins de circonstances exceptionnelles qui risqueraient de mettre l'enfant en danger, n'hésitez pas à utiliser votre autorité pour que celui-ci fréquente régulièrement l'autre parent selon les modalités dont vous avez convenu ou qui ont été fixées par le tribunal. Fermeté et autorité ne sont pas synonymes d'absence de souplesse et de flexibilité. Par ailleurs, les enfants apprécient que les deux parents respectent certains besoins particuliers qui rendent nécessaires des changements d'horaires. Le parent accepte par exemple de reporter au week-end suivant le contact avec son enfant parce que celui-ci participe à une compétition de judo.

- **Soyez à l'écoute de votre enfant, tant sur le plan verbal que non verbal.** Les enfants n'expriment pas toujours ce qu'ils ressentent avec des paroles. Les parents ont donc avantage à décoder les messages, les signes, les symptômes, les changements d'attitudes et d'habitudes, les silences, les retraits et les comportements agressifs. N'hésitez pas à inscrire votre enfant à un groupe d'entraide et de soutien pour enfants de parents séparés si une ressource de ce genre existe dans votre quartier. Il y rencontrera d'autres enfants et pourra profiter de leurs expériences ; il pourra aussi discuter en toute quiétude de la situation qu'il vit. De nombreux témoignages d'enfants ayant participé à de tels groupes confirment le besoin d'un lieu « neutre » et confidentiel.
- **Essayez de maintenir ou d'établir une routine,** de même que des règles claires et cohérentes. L'enfant se sent en sécurité lorsqu'il perçoit que ses parents se sont fixé une ligne de conduite. Cela ne signifie pas que les deux parents doivent établir nécessairement toutes les mêmes règles en ce qui concerne les heures du coucher, les repas, les loisirs, les devoirs, l'école, les rencontres avec

les amis, etc. On ne saurait exiger des parents divorcés davantage que ce qu'on demande aux parents mariés ou vivant ensemble. L'harmonie complète en ce domaine n'existe pas ou est rarissime. Quoi qu'il en soit, nous avons constaté à de multiples occasions que les enfants font peu de cas de ces différences et s'y adaptent relativement bien, peut-être même mieux que les parents.

La famille contemporaine est en constante évolution. Nous savons maintenant que l'enfant peut avoir plusieurs figures d'attachement, mais le lien parental est celui qui doit survivre (mais pas à tout prix) aux crises et aux conflits. C'est le lien qui unit l'enfant à ses deux parents qui doit être maintenu, soutenu et parfois réactivé. « Couple un jour, parents toujours » comme le dit l'excellente publicité du ministère de la Justice sur la médiation familiale.

Les parents en voie de séparation ou déjà séparés se demandent souvent comment se partager le temps de garde. Ils doivent prendre en compte les besoins de leur enfant et d'autres facteurs tels que leur lien avec l'enfant, son âge, leur disponibilité, leurs compétences, la distance entre les deux domiciles, etc.

Vaut-il mieux fixer des moments plus fréquents avec l'enfant, quitte à ce qu'ils soient moins longs ? Vaut-il mieux que les deux parents s'investissent dans diverses sphères d'activité avec leur enfant ? Avant de tirer des conclusions hâtives, il est prudent de ne pas perdre de vue que chaque famille est unique et que chaque enfant a ses besoins propres. Le temps avec l'enfant ne se mesure pas en termes d'heures passées ensemble dans un même lieu. On sait combien il est difficile pour le parent gardien qui assume la majorité des tâches parentales et domestiques de trouver du temps de jeu et de plaisir avec son enfant. Outre les obligations incontournables (préparer les repas, faire la lessive, superviser les devoirs et les leçons, conduire l'enfant chez le médecin, le dentiste, le réprimander au besoin, etc.), il faut trouver le temps de se parler, de s'écouter, de rire et de s'amuser.

Combien de fois entend-on les parents gardiens dire : « Je n'ai pas le temps de jouer, je dois faire ceci ou cela. » Si le parent est fier lorsqu'il se met au lit le soir et voit sa maison bien rangée, il ressent parfois aussi une certaine culpabilité de ne pas avoir passé suffisamment de temps avec son enfant.

Combien de fois avons-nous aussi entendu des parents ayant des droits d'accès un week-end sur deux exprimer leur frustration de ne pas avoir assez de temps pour faire « de vraies choses » avec leur enfant ? Certains diront que ces parents sont uniquement centrés sur le plaisir, que ce temps a peu de valeur, mais de nombreux enfants croient aussi que ces moments, quoiqu'agréables, ne sont pas assez longs pour permettre certaines activités avec le parent.

Des études[4] ont démontré qu'il faut une variété d'activités et d'occasions pour favoriser l'attachement mutuel entre le parent et son enfant.

Il est aussi possible qu'un enfant développe une plus grande complicité avec un parent sans égard au nombre d'heures passées ensemble. Cela étonnera souvent le parent gardien : toutes ces heures consacrées à l'enfant ne devraient-elles pas être récompensées par un attachement particulier ?

Le parent gardien risque de ressentir beaucoup de déception et de frustration, ce qui est tout à fait compréhensible vu son engagement auprès de l'enfant.

Mathieu, 9 ans, vit avec sa mère et voit son père tous les samedis de 10 h à 17 h et les mercredis de 16 h à 20 h.

Selon la mère et son entourage, cette relation est très peu significative. Certains croient d'ailleurs que le père n'est pas vraiment intéressé parce qu'il ne réclame pas davantage de contacts avec son fils et que le seul mérite qu'il a est de payer sa pension alimentaire.

Mathieu a fréquenté le groupe d'entraide que nous animons. Il a exprimé à quel point ces moments avec son père lui étaient précieux, et ce, pour diverses raisons :

- Il partage avec son père sa passion du hockey ;
- Son père assure les allers et retours pour les matchs, qui se tiennent tous les mercredis et samedis ;
- Son père est aussi l'entraîneur de son équipe et ils ont un plaisir fou ensemble tant lors des matchs que lors des trajets en voiture ;
- Son père est un vrai clown et raconte souvent des blagues et des histoires qui le font rire ;
- Il se sent suffisamment proche de son père pour lui raconter ses joies et ses peines.

Quelle surprise pour la mère d'entendre son fils tenir de tels propos lors de la rencontre conjointe avec les deux parents !

Malgré sa surprise et sa peine, la mère a accepté ce que disait son fils sans blâmer, dénigrer ou attaquer le père de quelque façon que ce soit. Quelle belle preuve d'amour! La mère en a également récolté les fruits puisque le père l'a remerciée et le fils s'est jeté dans ses bras en lui disant qu'il aimait vivre avec elle dans sa maison. Grâce à ces familles, nous avons compris que la coparentalité ne se résume pas au décompte du temps passé avec chaque parent.

La qualité du lien, le respect des différences parentales et les affinités spécifiques peuvent constituer un apport significatif et complémentaire.

Se garder du temps pour soi

La période de la rupture est faite de bouleversements qui mettent à l'épreuve la patience, l'énergie et la disponibilité. Il est donc important de prendre d'abord soin de vous. Ayez en tête la consigne que l'on donne après le décollage d'un avion concernant l'utilisation du masque à oxygène en cas d'urgence: « En tout temps, l'adulte qui accompagne l'enfant doit d'abord mettre son masque et ensuite aider l'enfant à installer le sien. » L'enfant qui vit une séparation s'en sortira mieux si le parent s'assure d'avoir un minimum d'oxygène.

Il est donc nécessaire que vous vous accordiez des périodes de répit et de ressourcement. Selon l'état et les possibilités de chacun, il peut s'agir de quelques brefs moments chaque jour ou de périodes fixes chaque semaine ou chaque mois.

MARILYNE

N'hésitez pas à faire appel à l'autre parent. S'il n'est pas disponible, demandez un petit coup de pouce aux grands-parents, à des amis, à des membres de votre famille, à votre voisinage ou informez-vous au sujet des services disponibles dans votre communauté.

Quand est-il préférable de se séparer, de divorcer ?

Plusieurs recherches ont démontré que ni l'âge ni le sexe de l'enfant ne sont des facteurs à considérer lorsqu'on songe à se séparer. Les questions primordiales que les parents devraient se poser sont les suivantes :

- Peut-on envisager d'autres solutions ?
- Si oui, lesquelles et à quelles conditions ?
- Si non, et si la séparation est la seule solution dans les circonstances, sommes-nous prêts, comme personnes et comme parents, à soutenir notre enfant durant cette période de transition ?

Il est rare que les parents prennent à la légère la décision de se séparer. La décision intervient souvent après une longue réflexion et plusieurs essais pour « recoller les morceaux ».

Si vous décidez de vous séparer, ne soyez pas surpris de la réaction de votre enfant : il est presque certain qu'il s'opposera à votre projet. Il faudra entrevoir une période d'adaptation qui dure entre un et trois ans selon les familles. La première année est souvent la plus difficile :

vous devrez probablement mobiliser vos ressources en termes de patience, de tolérance et d'ingéniosité.

Après cette période de bouleversements, un certain équilibre se met en place et, dans bon nombre de situations, la rupture amène une forme de croissance. Certains enfants trouvent ou retrouvent un père ou une mère après la séparation. En effet, celle-ci donne parfois lieu à une plus grande disponibilité physique ou psychologique de l'un des parents ou des deux, de même qu'à une absence de querelle et à un respect mutuel entre les parents.

L'enfant unique s'en tire-t-il moins bien ?

L'enfant unique est plus souvent exposé aux conflits de ses parents, à leurs pressions et à celles de l'entourage, ainsi qu'à la solitude. En effet, le soutien des membres de la fratrie est parfois d'un grand secours. Il ne faut cependant pas oublier que l'enfant unique était seul avant la séparation et qu'il est habitué à son rôle, qui comporte par ailleurs des avantages et des inconvénients. S'il a créé des liens avec la famille élargie (cousins, cousines, oncles, tantes, grands-parents) et avec son réseau social (amis à l'école et à l'extérieur), il trouvera là un grand réconfort pour gérer la transition.

Les parents d'un enfant unique doivent toutefois être vigilants s'il y a un conflit relatif à la garde. Dans les conflits les plus aigus, l'enfant est déchiré et se sent coincé entre ses deux parents, sachant, pour reprendre l'expression de l'un d'entre eux, qu'il ne peut se « diviser en deux ».

Est-il normal que l'enfant continue d'espérer la réconciliation de ses parents?

Ni l'intensité des disputes parentales, ni l'absence d'un parent, ni même la violence conjugale à laquelle a assisté l'enfant ne justifient, à ses yeux, une séparation.

L'enfant peut éprouver de la détresse ou avoir la fantaisie de vouloir réconcilier ses parents même s'il entretenait de bonnes relations avec eux avant la rupture. Certains parents négligents ou violents pendant la vie commune sont submergés de démonstrations d'affection de la part de l'enfant après la rupture.

Parmi les enfants que nous avons rencontrés, nombreux étaient ceux qui continuaient d'espérer et de désirer la réconciliation de leurs parents après deux, trois, quatre et même huit années de séparation. Certains étaient passés maîtres dans l'organisation de rendez-vous entre les parents (à l'insu de ces derniers, bien entendu) ou dans l'art d'accroître les tensions entre les parents ou entre un parent et son nouveau conjoint. Ces manœuvres n'ont pour seul but que de forcer ou d'inciter les parents à reprendre la vie commune.

Certains enfants se « vantent » même d'avoir fait échouer la nouvelle union de l'un des parents, d'avoir tout fait pour que « ça casse ». Quelle déception lorsqu'ils comprennent que leurs parents ne reviendront pas ensemble ! En effet, il est exceptionnel que des conjoints reprennent la vie commune après avoir vécu séparément pendant quelques mois ou quelques années.

Ce désir de réconciliation est d'autant plus présent que les parents maintiennent une bonne communication entre eux, qu'ils se fréquentent encore comme parents ou qu'ils font la paix et deviennent amis après une longue période de discorde.

Cette fantaisie de réconciliation peut demeurer longtemps dans la tête et le cœur de l'enfant. Bien qu'il s'agisse d'une épreuve, la séparation ou le divorce peut aussi avoir des aspects positifs pour vous et pour votre enfant. Gardez confiance et soyez patient, car un certain équilibre s'installera avec le temps.

Les réactions dominantes de l'enfant

Voici maintenant une synthèse des réactions dominantes de l'enfant à la suite d'une séparation. Ces réactions varient nécessairement en fonction de l'âge et du stade de développement. On peut cependant dire que, de façon générale, les enfants « subissent » la décision de la rupture, cherchent à réunir leurs parents, se sentent tristes, coupables et demeurent loyaux envers leurs deux parents.

L'enfant de moins de 5 ans

Voici les réactions les plus fréquemment observées chez les enfants de moins de 5 ans :

- Tristesse ;
- Peur de l'abandon (cauchemars à l'occasion et grosse réaction à la moindre séparation, même lorsque le

parent ne fait que changer de pièce sans même quitter la maison) ;

- Régression (se remettre à sucer son pouce, se souiller, réclamer son biberon, parler en « bébé » ou refuser de parler) ;
- Culpabilité (pleurs fréquents, morosité, perte d'entrain, perte d'appétit et de sommeil) ;
- Colère (coups de pied et de poing, lancement d'objets, morsures ou pincements infligés à d'autres enfants) ;
- Agressivité (comportements d'opposition tels que le refus de se mettre au lit, d'obéir, de ranger ses jouets) ;
- Fantaisie de réconciliation (4 ou 5 ans). Elle peut s'exprimer directement par des supplications, des larmes ou des coups, mais l'enfant peut aussi tout faire pour être gentil en pensant que cela encouragera les parents à revenir ensemble.

L'enfant de 5 à 7 ans

Voici les réactions les plus fréquemment observées chez les enfants de 5 à 7 ans :

- Tristesse (gros chagrin) face à la séparation ;
- Peur d'être abandonné, de perdre l'amour de ses parents ;
- Sentiment d'être responsable de la séparation ;
- Tendance à vouloir remplacer le parent qui est parti (le petit garçon peut avoir tendance à jouer « au père » et la petite fille à jouer « à la mère » dans la maison) ;

- Fantaisie de réconciliation. Certains enfants vont jusqu'à s'arranger pour que leurs parents se rencontrent (à l'école, au service de garde, au cinéma, à l'épicerie) ;
- Sentiment de loyauté (fort vis-à-vis des deux parents) ;
- Colère (surtout contre le parent qui a pris l'initiative de la rupture) ;
- Ennui du parent absent (certains enfants pleurent, se retirent, sont moroses) ;
- Augmentation ou diminution de la capacité de se concentrer et d'accomplir certains travaux scolaires ;
- Changement, parfois subit, de ses comportements sociaux, à l'école ou avec ses amis.

L'enfant de 8 à 12 ans

Voici les réactions les plus fréquemment observées chez les enfants de 8 à 12 ans :

- Tristesse ;
- Sentiment de honte et de gêne face à la séparation ;
- Colère intense, surtout face au parent responsable du divorce ou qui a pris l'initiative de la séparation ; certains enfants protestent contre des règles fixées par les parents (heure du coucher, des repas, permissions, tâches à accomplir, etc.) ;
- Négation pour masquer son chagrin ;
- Faux air d'assurance et de calme. Certains enfants sont maîtres dans l'art du camouflage : ils sont tristes, mais rien n'y paraît ;

- Augmentation des symptômes somatiques (maux de tête, maux de ventre et d'estomac) ;
- Sentiment de loyauté ;
- Diminution de la confiance en soi ;
- Sentiment de culpabilité (pas toujours, mais peut être présent) ;
- Repli sur soi. Certains enfants refusent de participer à leurs activités habituelles, sportives ou culturelles (hockey, ballet, natation, gymnastique ou autre).

L'adolescent de 13 à 17 ans

Voici les réactions les plus fréquemment observées chez les adolescents de 13 à 17 ans :

- Profonde tristesse, pas toujours exprimée ;
- Colère contre les parents ou contre l'un en particulier ;
- Sentiment d'accablement lié aux responsabilités, surtout s'il y a une fratrie plus jeune ;
- Sentiment de déchirement lié aux conflits des parents ;
- Embarras face aux comportements parfois immatures d'un ou des deux parents ;
- L'adolescent devient le confident ou l'allié d'un parent ;
- Imitation d'un parent dans la recherche de liberté sexuelle ;
- Développement de ses propres intérêts et revendications que ces intérêts soient intégrés dans l'organisation des contacts avec le parent non gardien ;
- Rejet de la résidence alternée, à moins que les parents n'habitent le même quartier. Certains adolescents habitués au changement de résidence sont prêts à se déplacer lorsqu'ils se sentent bien dans les deux maisons et que le lien avec chacun des parents est « OK » (selon leur expression) ; d'autres préfèrent une alternance aux quinze jours ;
- Sentiment fréquent de culpabilité et tiraillement entre la demande du parent non gardien, qui veut établir un contact régulier, et le besoin personnel de liberté et de disponibilité pour les amis (conflits d'horaire) ;
- Rejet de l'autorité et du contrôle des nouveaux conjoints.

En résumé

Il y a autant de façons de se séparer qu'il y a de familles.

- Il est important de vous préparer et de préparer votre enfant à la séparation.
- Les enfants ont besoin de renseignements, d'attention et d'affection pendant cette période de transition.
- Les enfants réagissent avec tristesse, colère, angoisse et culpabilité; le sentiment de loyauté vis-à-vis des parents est très présent et se retrouve dans tous les groupes d'âge.
- Le désir de voir les parents se réconcilier est présent chez la plupart des jeunes enfants et peut durer longtemps après la rupture; il se retrouve aussi parfois chez des enfants plus âgés.
- La régression provisoire et prévisible de l'enfant au moment de la séparation ne doit pas susciter trop d'inquiétude, car elle est le plus souvent temporaire.
- L'amour et la présence des deux parents dans diverses sphères de la vie de l'enfant constituent le meilleur remède pour l'aider à s'adapter et à se développer.
- Il est important d'être à l'écoute de son enfant.
- Il faut éviter d'utiliser l'enfant comme messager et confident.
- Il faut prendre soin de soi comme personne et comme parent.

Notes

1. Au Québec, « se chicaner » a le même sens que « se disputer ».
2. DOLTO, F. *Quand les parents se séparent*. Éditions du Seuil, Paris, 1988.
3. LEMAY, M. *Famille, qu'apportes-tu à l'enfant?* Montréal, Éditions du CHU Sainte-Justine, 2001, p. 169.
4. WARSHAK, R.A. « Blanket restrictions : Overnight contact between parents and young children ». *Family and Conciliation Courts Review* 2000 38(4) : 422-445, 435.

Emma 5 ans et demi

Chapitre 4

La parole de l'enfant de parents séparés : de l'enfant témoin à l'enfant médiateur

par Lorraine Filion

La parole de l'enfant lors de conflits entre ses parents

Lorsqu'il y a séparation, l'univers de l'enfant s'écroule. Bien souvent, il doit faire face à des défis et à un accroissement de ses responsabilités, ce qui le fait évoluer plus vite que les autres. En tant que membre à part entière d'une famille en transition, il a besoin d'être entendu et respecté dans son silence, sa tristesse, sa colère, sa frustration et sa peur de l'abandon. De plus, il est important qu'il vive sa vie d'enfant et qu'on lui laisse, entre autres choses, une part d'insouciance et de rêves.

Malgré leur bonne volonté, bon nombre de parents ne parviennent pas toujours à décoder les messages de l'enfant ou à l'aider à s'exprimer. Souvent, l'enfant n'ose pas parler, même si un parent aimant l'invite à le faire, car il craint de lui faire du mal, de l'inquiéter ou de susciter davantage de colère contre l'autre parent.

Voici les conditions qui permettent à la parole de l'enfant d'exister :

- Une confiance en l'adulte, qui saura garder un secret ou donner un conseil sans juger ou blâmer ;
- Un « décodage » du langage, car les codes diffèrent en fonction de l'âge de l'enfant ;
- Une qualité d'écoute, car l'enfant ou l'adolescent parle quand il croit que son point de vue sera pris en considération ;
- Un climat de sécurité, car l'enfant ne veut pas blesser ou choquer son parent.

Lorsque vous informez votre enfant de votre décision de rompre, soyez attentif à ses réactions. Tenez compte de sa personnalité, de ses qualités, de ses difficultés et de tout ce qui existait avant pour mieux comprendre ce qui se passe au moment de la séparation.

Par exemple, un enfant turbulent, actif et extraverti depuis sa naissance risque d'avoir les mêmes comportements au moment de la rupture et dans la période qui suit. Ces comportements seront probablement amplifiés pendant un certain temps et vous aurez besoin de plus de patience et d'énergie. Vous devrez également porter une attention particulière à un enfant turbulent qui devient introverti, calme et inactif après la séparation.

Les enfants qui réussissent bien à l'école peuvent développer des problèmes de comportement ou d'inattention, ce qui risque d'entraîner une baisse de leur rendement scolaire. Nous avons aussi rencontré des enfants qui, en apparence, ne présentaient aucun signe de difficulté ou aucun problème. Bien sûr, ils avaient pleuré un peu ou rouspété au moment de l'annonce de la séparation, mais, depuis, il n'y avait rien de négatif à signaler.

Nous avons tenté de classer les réactions les plus courantes. Peut-être y reconnaîtrez-vous celles de votre enfant ? Si votre projet de rupture est en route, ces catégories pourront peut-être vous aider à mieux décoder les réactions futures de votre enfant et à mieux y faire face.

Les réactions les plus courantes

L'enfant-gorille

Vous avez déjà une image en tête : celle d'un petit gorille en colère. Votre enfant pique des crises, il veut tout casser sur son passage, il lance des jouets, il frappe ses frères et sœurs, il se dispute souvent à l'école avec ses camarades et il a même tenté de vous frapper... Ouf ! C'est vraiment très difficile.

Ce comportement est typique des jeunes enfants de 4 à 7 ans, en particulier des garçons. L'enfant de 8 à 12 ans peut aussi exprimer sa colère, surtout envers celui qui a pris l'initiative de la séparation, mais il se contrôle mieux et peut même feindre le calme et afficher une certaine assurance. Il manifeste davantage sa colère avec des mots, en refusant d'exécuter certaines tâches ou en contestant certaines règles établies.

L'enfant-crocodile

Certains enfants ont des crises de larmes intenses et fréquentes, à la maison comme à l'école. Ils sont parfois inconsolables. Ils ont du chagrin et des fantaisies de réconciliation. Ils croient que seule la réconciliation de leurs parents peut mettre fin à leur peine. Il est toujours difficile pour un parent de voir pleurer son enfant, d'autant plus que la cause du chagrin est une décision parentale, conjointe ou subie par l'un des parents.

Ces pleurs peuvent vous culpabiliser davantage et même provoquer une remise en question de la décision de rupture. Sachez toutefois qu'après la pluie vient le beau temps, surtout si l'enfant reste en contact avec ses deux parents et qu'une certaine routine s'installe dans chacun des milieux.

L'enfant exprime plutôt rarement son sentiment de culpabilité à ses parents à la suite de la rupture. Les parents, se sentant eux-mêmes coupables d'avoir initié ou actualisé une séparation, répètent souvent à leurs enfants qu'ils n'en sont pas responsables en pensant que ces paroles suffiront à faire disparaître le malaise de leur enfant. Comment expliquer alors que nous côtoyions si fréquemment de telles manifestations de culpabilité ?

Une explication intéressante a été offerte par notre collègue Harry Timmermans :

> « Nous avons découvert que cette culpabilité des enfants est nécessaire et, qu'en général, elle est positive en ce sens qu'elle apporte une sorte d'apaisement

chez les enfants face à la séparation de leurs parents. En effet, la plupart du temps, les enfants associent leur culpabilité à une solution. C'est ainsi qu'ils diront que leurs parents se sont séparés parce qu'ils étaient trop dissipés à l'école, mais que maintenant, « je suis devenu sage » et que, par conséquent, les parents vont revenir ensemble. Ce vieux rêve des enfants que leurs parents reviennent ensemble trouve ici un lieu d'actualisation que les enfants recherchent. Nous avons compris, à force d'entendre des enfants sur ce thème, qu'ils ont justement besoin d'un espace-temps dans lequel il y a de l'espoir (les parents vont revenir ensemble) et du pouvoir (je fais ce qu'il faut pour cela). Les enfants peuvent ainsi traverser avec un confort relatif cette crise qui apparaît si pénible et ils arriveront à leur vitesse à eux, mais pas à la vitesse des adultes, à la réalité que les parents ne se sont pas séparés à cause d'eux et qu'ils ne reviendront pas ensemble. Nous trouvons particulièrement habile cette démarche qui leur accorde le temps de s'adapter.[1] »

Ainsi, nous croyons qu'il est important que les parents donnent un sens positif et non alarmiste à ce désir de réconciliation, car celui-ci devient une façon pour l'enfant de s'adapter à son rythme à la rupture.

L'enfant-huître ou... la petite bombe à retardement

Après la séparation, certains enfants se referment davantage, s'isolent et se retirent, tant à l'école qu'avec leurs amis et leurs parents. Ce sont de petites huîtres. Pour les aider à s'exprimer, il faut les apprivoiser et les approcher tout doucement. Souvent, la parole n'est pas leur moyen d'expression favori. L'enfant-huître peut aussi avoir eu de mauvaises expériences, par exemple :

- Il a dit au parent gardien qu'il lui manquait lors des week-ends avec l'autre parent et cette parole a été transmise à l'autre. Le tout s'est soldé par une guerre entre papa et maman.
- Le parent gardien a conclu qu'il n'était pas bien chez l'autre parce qu'il pleurait les vendredis soirs avant de le quitter pour le week-end et il a déposé à la Cour une requête en suspension ou réduction des droits d'accès du parent visiteur.
- L'enfant a fait l'objet de plusieurs expertises (interventions de la DPJ, rencontres avec divers experts).

Nous avons vu des enfants qui se collaient un bout de papier sur la bouche avant d'entrer dans le bureau du médiateur ou lors de rencontres du groupe Confidences. Le message était clair et percutant : « Je n'ai pas envie de parler, j'ai peur de parler. »

Lorsque la petite huître en aura trop sur le cœur ou lorsqu'un événement marquant se produira dans sa vie, elle s'ouvrira et explosera quelquefois.

Nous avons en mémoire des enfants qui n'ont pratiquement pas réagi au moment de la rupture. Selon les parents, ils ont à peine versé quelques larmes. Le temps a passé, ils avaient de bonnes notes à l'école et aucun problème de comportement. Et un beau jour, ça éclate ! Certains veulent mourir tellement ils souffrent. D'autres ont l'impression d'avoir été victimes de trahison. Ces situations se présentent parfois lors de l'annonce du remariage d'un parent, de la recomposition de la famille, de la naissance d'un nouvel enfant, de la perte de contact avec un parent, de la mort ou de la disparition de l'animal favori ou de la perte d'un être cher. Quand une pareille explosion se produit, les deux parents ont besoin de toutes leurs énergies pour aider l'enfant. Ils gagnent à s'épauler et, au besoin, à consulter un professionnel. Certains de ces enfants ont participé à notre groupe d'entraide et ont pu partager leurs émotions.

Enfants toutes catégories

Tout enfant réagit à la séparation de ses parents avec des larmes, de la colère, de l'angoisse et des inquiétudes face à sa vie présente et à son avenir. Dans certains cas, plus rares, l'enfant éprouve du soulagement. Les moyens qu'il prend pour exprimer ou intérioriser ses émotions lui appartiennent. Vous gagnerez beaucoup à observer tous les petits changements qui se produisent et que vous êtes le seul à pouvoir percevoir. L'enseignant ou le personnel de la garderie pourra sans doute vous aider à dresser un tableau plus complet des réactions et, par conséquent, des besoins de votre enfant. Dans tous les cas, avant de vous faire une opinion définitive sur les besoins ou les demandes de l'enfant, prenez le temps de consulter l'autre parent. Si cela vous est trop difficile, n'hésitez pas à demander l'aide d'un tiers, qu'il s'agisse d'un médiateur ou d'un thérapeute.

Quels sont les besoins de tout enfant lors d'une rupture ?

L'enfant a besoin :

- d'être préparé à toutes les transitions familiales (séparation, recomposition, déménagement, nouvelle fratrie, changement de garde, modification des droits d'accès accordés à l'autre parent, etc.) ;
- d'être informé au premier chef de ce qui le touche dans sa vie ;
- de temps pour s'adapter et s'habituer à sa nouvelle situation familiale ;
- d'aimer librement ses deux parents ;
- d'avoir des contacts réguliers et fréquents avec chacun de ses parents, ses grands-parents et sa famille élargie ;
- d'exprimer ses émotions ;
- d'être tenu à l'écart du conflit de ses parents ;
- d'être respecté dans son rôle d'enfant, de ne pas être le confident des parents ni le premier responsable de l'organisation à la maison ;
- de garder une certaine intimité physique et affective avec chacun des parents hors de la présence continuelle des nouveaux conjoints et de leurs enfants ; d'avoir, si possible, un petit espace bien à lui dans les deux maisons. Si cela n'est pas possible, s'assurer que ce qu'il laisse derrière lui ne soit pas déplacé ou détruit

pendant son absence (par exemple, l'enfant qui revient chez son parent la semaine suivante constate que toute sa belle construction en Lego a été détruite par son demi-frère ou ne retrouve pas son livre préféré parce qu'il a été rangé dans la chambre de sa demi-sœur qui a omis de le replacer...);

- d'être assuré de l'amour de ses parents lors de chaque transition familiale;
- de bénéficier de souplesse dans l'organisation et la gestion des contacts avec l'autre parent;
- d'être respecté dans ses besoins de stabilité sur les plans scolaire, social et familial.

Les enfants qu'on oublie

Les enfants de parents séparés doivent de plus en plus souvent faire face à des recompositions rapides à la suite de la séparation. Il arrive que des parents aient plusieurs conjoints dans les années qui suivent la rupture.

Si ces nouveaux conjoints prennent le temps d'établir un lien avec l'enfant, s'ils savent respecter le rôle et la place du père et de la mère, s'ils se montrent respectueux du besoin de l'enfant d'avoir du temps en privé (ne fût-ce que quelques heures) avec son parent, si la relation est stable, il est plus que probable que l'enfant s'attachera à cette nouvelle personne.

D'après la sociologue française Sylvie Cadolle, le beau-parent doit trouver sa juste place au sein de cette nouvelle famille sans se substituer au parent:

Je m'ennui beaucoup de vous deux! Je suis fachée que vous soiyez pas essemble!
Je suis fachée!
Geneviève

Je táime papa
Je t'ime Mama

> « On ne considère plus le beau-parent comme un substitut de parent contrairement à ce qui se passait dans les années 1960 (en cas de veuvage notamment). Aujourd'hui, on tend à reconnaître qu'il a une place à lui dans la pratique quotidienne des familles. Les beaux-parents doivent donc trouver une place originale. Ils ne sont pas les rivaux des parents, mais, en tant qu'adultes, ils ont des droits et des devoirs à l'égard des enfants avec lesquels ils vivent : droit au respect, devoir de bienveillance.[2] »

Qu'advient-il de ces liens en cas de rupture ?

Il est plutôt rare que l'enfant garde contact avec ces nouveaux conjoints ou conjointes pour de multiples bonnes raisons. Toutefois, si l'enfant s'est attaché à cette personne, il devra vivre un deuil parfois douloureux. Nous avons rencontré des enfants qui ne comprenaient pas pourquoi ils ne pouvaient plus revoir ces personnes et qui vivaient cette rupture comme un réel abandon. Ils se culpabilisaient parfois en pensant avoir été méchants ou ingrats envers elles.

Ainsi, si vous devez mettre fin à une relation avec un conjoint, il est important de bien préparer l'enfant et de maintenir autant que possible le lien avec l'enfant.

Nous citons en exemple le cas de Julien, 9 ans, qui comprenait très bien qu'il ne pouvait pas aller passer le week-end chez Marie, l'ancienne copine de son père, alors qu'il devait partager son temps entre ses deux parents. Il aurait cependant aimé voir Marie pour son anniversaire et quelques fois par année. Il faut savoir que le père et Marie avaient vécu ensemble pendant cinq ans. Aux dires du père, Marie n'avait pas osé réclamer un droit de visite de peur d'irriter la mère. Julien, qui a fréquenté le groupe Confidences, a pu exprimer sa demande à ses parents lors de la rencontre bilan. Quoique très étonnés de ce besoin (surtout du côté de la mère), les parents ont accepté d'organiser quelques rencontres par année pour respecter le désir de Julien.

Lors de la recomposition familiale, d'autres situations problématiques peuvent mettre en péril l'adaptation de l'enfant et son développement.

Arianne, 12 ans, n'a pas connu son père. Sa mère s'est mise en couple avec un autre homme (Philippe) lorsque la petite avait 2 ans. De cette nouvelle union est né un garçon, William, qui a maintenant 4 ans. Au moment de la séparation, la mère assume temporairement la garde de ses deux enfants. Les conjoints ne parviennent pas à s'entendre au sujet de la garde de William et déposent chacun une procédure à la Cour. Six mois après la rupture, la mère inscrit son fils et sa fille au groupe Confidences. Nous sommes frappés par la tristesse et la détresse que nous voyons dans les yeux d'Arianne. Elle a de sérieux problèmes de concentration à l'école et ses notes ont chuté de façon drastique au cours des derniers mois.

Voici ce que l'enfant expose dans le groupe :

- Elle est profondément triste depuis le départ de son père (quoi qu'en dise sa mère, elle considère Philippe comme son père) ;

- Selon sa mère, Philippe n'a pas demandé à la voir (ce dont elle doute, car elle est certaine qu'il l'aime);
- Comme les deux parents de William ne peuvent se parler et se croiser, c'est elle qui ouvre la porte à Philippe chaque vendredi soir lorsqu'il vient chercher son fils;
- Elle pleure en silence tous les week-ends parce qu'elle ne peut aller chez son père et qu'il lui manque terriblement;
- Comment expliquer que son père l'ait oubliée? Pourquoi sa mère ne lui permet-elle pas d'aller chez lui tous les vendredis soirs si elle aime sa fille comme elle le prétend?
- Ariane avait élaboré toutes sortes de scénarios pour expliquer la situation: «J'ai dû être méchante avec papa; son appartement est sans doute trop petit pour accueillir deux enfants; William est encore petit et il requiert beaucoup d'attention.»

Lors de la rencontre bilan, Arianne a pu exprimer ses besoins et obtenir des réponses, mais aucune solution n'a été apportée par les parents. La mère semblait prête à offrir un droit de visite au père, mais celui-ci devait en contrepartie payer une pension alimentaire pour les deux enfants. L'emploi précaire du père ne lui permettait pas d'assumer deux pensions alimentaires, et Arianne est repartie le cœur lourd.

Il nous arrive de suivre certains enfants dont la souffrance nous a particulièrement touchés. C'est le cas d'Arianne, dont nous avons appelé la mère six mois plus tard pour prendre des nouvelles. Elle nous a expliqué que la relation avec son ex-conjoint s'était améliorée. Lorsque nous lui avons demandé des nouvelles de sa fille, elle a préféré que nous lui parlions directement. Arianne nous a raconté qu'elle voyait son père en cachette après l'école et de temps en temps le samedi. Il lui arrivait aussi de lui parler au téléphone le soir lorsqu'elle gardait son petit frère en l'absence de sa mère.

Un jour, sa mère l'avait surprise en train de parler au téléphone avec son père. Elle avait pleuré lorsque sa fille lui avait avoué tout ce qu'elle avait fait à son insu depuis des mois pour maintenir le lien avec son père. Arianne allait maintenant passer tous les week-ends chez son père avec son frère. Quelle heureuse issue pour cette enfant et quelle résilience !

Nous avons reparlé à la mère pendant quelques minutes et nous avons compris qu'elle s'était même excusée à sa fille pour son attitude. Nous avons félicité la mère pour ce geste et pour ses paroles d'amour.

Aucun parent n'est à l'abri d'un faux pas ou d'une erreur de parcours. L'important est de le reconnaître et de tenir compte des besoins de son enfant.

Que faire pour aider ou soutenir votre enfant ?

Quoi que vous disent votre entourage ou les professionnels, vous êtes, en tant que parents, les personnes les plus importantes dans la vie de votre enfant, celles qui le connaissent le mieux et qui sont les plus aptes à intervenir. Dites d'abord la vérité à votre enfant et préparez-le à l'événement. Soyez ensuite très attentif aux petits changements d'attitude ou de comportement ; plus vous le serez, mieux vous pourrez réagir. Rappelez-vous que le jeune enfant ne s'exprime pas nécessairement par la parole ; il peut aussi le faire avec son corps, par le dessin ou par le jeu. L'enfant plus âgé peut également avoir recours à l'écriture.

L'enfant est un créateur naturel. Pour certains enfants, le dessin est un moyen d'expression par lequel il donne accès à son monde intérieur. Il peut être un outil puissant pour communiquer sa souffrance ou son plaisir. En dessinant, l'enfant peut aussi extérioriser ses émotions.

D'autres enfants donnent libre cours à leurs émotions à travers l'expression dramatique ou le théâtre avec ou sans marionnettes. Cette forme d'expression fait appel à l'imaginaire des enfants. Ils peuvent notamment s'exprimer à partir d'un court scénario inventé par eux ou par les parents. Les jeux de rôle font partie de leurs inventions quotidiennes; les tout-petits, en particulier, adorent jouer au papa et à la maman, au docteur ou au professeur. Les enfants plus âgés, ceux de 10 ou 11 ans, peuvent jouer « aux parents séparés ». Certains préfèrent l'écriture. Pourquoi ne pas leur proposer d'écrire ce qu'ils ressentent, veulent ou désirent? Par son action créatrice, l'enfant apprend à connaître et à reconnaître ses sentiments.

Il existe aussi des livres spécialement conçus pour les enfants de parents séparés (voir les *Ressources*, à la page 293).

Les enfants qui aiment la lecture les apprécient beaucoup, car ils se reconnaissent souvent au fil de l'histoire. Les enfants plus âgés, particulièrement les ados, peuvent se confier directement aux deux parents, à l'un d'entre eux ou à une personne de confiance (professeur, oncle, tante, grand-parent, cousin, meilleur ami, etc.). Il faut choisir le bon moment pour recueillir des confidences.

Enfin, peu importe l'âge de votre enfant, il est toujours possible de faire appel à des ressources extérieures, notamment à un médiateur familial, à un groupe d'entraide pour les enfants de parents séparés, à une ligne téléphonique pour les jeunes, à un organisme communautaire œuvrant auprès des familles séparées ou à un centre de services sociaux (CSS).

L'utilité d'un groupe d'entraide et de soutien pour les enfants de parents séparés

Au cours des deux dernières décennies, des professionnels ont mis en place des groupes d'entraide et de soutien pour les enfants de parents séparés. Certains CSS, malheureusement trop peu nombreux, ont commencé à offrir ce service.

À Montréal par exemple, le Service d'expertise et de médiation du Centre Jeunesse de Montréal a mis sur pied, en 1992, le groupe Confidences, dont les objectifs sont d'aider l'enfant à :

1) Reconnaître ses sentiments ;
2) Exprimer ses émotions (colère, tristesse, culpabilité, agressivité, etc.) ;

3) Vivre certaines émotions dans un lieu neutre et accueillant ;
4) Résoudre des problèmes personnels et familiaux ;
5) Dire à ses parents ce qu'il ressent ;
6) Sensibiliser ses parents à ses besoins ;
7) Partager ce qu'il vit avec d'autres enfants qui sont dans la même situation.

Le but n'est pas d'agir à la place des parents, mais d'offrir à l'enfant un lieu où il peut, entre autres choses, exprimer ce qu'il ressent et vivre certaines émotions.

Les évaluations de ce programme[3] ont permis de mettre à jour les deux éléments qui aident le plus l'enfant. Ce sont :

- La rencontre, l'échange et la recherche de solutions avec d'autres enfants de parents séparés ;
- L'écoute et l'empathie d'une personne qualifiée n'ayant pas de lien affectif avec l'enfant. En effet, l'enfant en colère ou triste craint, en s'exprimant, de faire de la peine ou d'exacerber la colère de l'un de ses parents ou des deux. Parler de sa tristesse et de ses craintes avec un « étranger » lui permet de se livrer sans craindre de perdre l'affection d'un parent ou de déclencher « la Troisième Guerre mondiale », comme le disent parfois des enfants.

Après avoir exprimé son sentiment à l'état « brut », l'enfant profite de l'aide des autres jeunes et de l'animateur pour réfléchir, remettre en cause certaines versions données par l'un ou l'autre de ses parents et envisager d'autres options. La participation des enfants à un groupe leur permet de *mettre des mots sur leurs maux* et de trouver des solutions grâce aux suggestions des autres enfants. Par la suite, ils se disent souvent mieux équipés pour exprimer leurs besoins à leurs parents.

Chloé, 9 ans, disait lors d'une rencontre de groupe: « Je hais la blonde de mon père. » Grâce à une série de questions et à une petite pièce de théâtre dans laquelle elle jouait le rôle de l'enfant en colère contre la blonde de son père, elle a compris que ce n'était pas la nouvelle conjointe de son père, mais la situation qui lui était insupportable. Chloé se plaignait en effet qu'elle prenait trop de place sur le canapé, qu'elle était toujours collée à son père ou en train de le bécoter alors qu'elle-même n'avait même plus de place pour s'asseoir. Aidée par les autres enfants et soutenue par l'animateur, Chloé a compris ce qu'elle devait dire à son père. Voici le message qu'elle lui a transmis: « Papa, ta blonde est bien gentille, mais j'aimerais avoir une place sur le canapé à côté de toi, comme avant. » Chloé a même été capable de dire à son père qu'il était important qu'il passe du temps seul avec elle; le père a compris le message.

Mathieu, 12 ans, a exprimé plusieurs éléments négatifs au sujet de son père au cours d'une rencontre: il n'était jamais là, il avait fait du mal à sa mère, il avait même tenté de le noyer dans la piscine lorsqu'il était bébé, etc. Son copain dans le groupe lui a demandé ce que son père lui avait fait personnellement (Mathieu a levé les yeux au ciel, cherchant en vain d'autres arguments). Mathieu a raconté l'incident de la piscine, survenu lorsqu'il avait 6 mois. Le copain de répliquer: « Tu ne peux pas t'en rappeler, c'est ta mère qui t'a bourré la tête. » Lors d'un cours de natation pour bébés auxquels ses deux parents l'avaient inscrit, l'instructeur aurait demandé aux parents de mettre leur bébé à l'eau tranquillement jusqu'à l'immersion totale et d'attendre, les assurant que le bébé allait tout naturellement se mettre à nager comme un petit chien. La mère, craignant que son fils se noie, ne voulait pas le faire alors que le père n'aurait pas hésité selon la mère. D'un ton exaspéré, le copain a dit à Mathieu: « Tu vois bien que ton père ne voulait pas te noyer, c'était un cours de natation pour bébés, l'instructeur n'était pas fou. »

Lors de la rencontre bilan avec les deux parents, Mathieu a demandé à sa mère de lui raconter à nouveau l'incident de la piscine. La mère a relaté la scène de la même façon que Mathieu l'avait fait précédemment. Le père s'est toutefois empressé de rectifier l'information donnée par la mère: c'est devant le refus de la mère d'exécuter la consigne de l'instructeur que le père a mis l'enfant dans l'eau. Mathieu se serait alors mis à nager rapidement sous l'eau sans difficulté. Mathieu semblait fier de sa performance. Il faut savoir qu'il est aujourd'hui un excellent nageur et qu'il a gagné plusieurs médailles lors de compétitions sportives.

Le silence de la mère en disait long. Mathieu lui a par la suite fait part de sa colère et de sa profonde déception. De plus, il a demandé à reprendre contact avec son père de temps en temps si sa mère était d'accord. Celle-ci n'a pas pu refuser: avant d'inscrire son fils au groupe, elle alléguait que son fils de 12 ans ne voulait plus voir son père et qu'il était assez vieux pour décider.

Dans le cadre du groupe Confidences[4] (voir en annexe « Les activités du groupe Confidences », à la page 273) et au cours de nos vies professionnelles, nous avons rencontré beaucoup d'enfants et, chaque fois, nous avons été ébahis de les voir s'ouvrir sous l'effet d'une attention chaleureuse et bien intentionnée. Certains adultes ont tendance à minimiser les difficultés qu'éprouvent les enfants à la suite de la séparation de leurs parents sous prétexte qu'il y a de plus en plus de divorces, que l'enfant est moins marginalisé qu'avant et que la société est mieux organisée pour répondre à ses besoins. Ils ont tort.

L'augmentation du nombre de divorces ne signifie pas nécessairement qu'il y a davantage de services destinés aux enfants de parents séparés et que l'enfant qui vit la rupture a moins de chagrin.

Comment interpréter la parole de mon enfant ?

L'âge, le stade de développement, le lien établi avec l'adulte qui recueille la parole, le lieu et les circonstances, voilà autant de facteurs à considérer dans l'interprétation des paroles d'un enfant. En effet, lors de la séparation ou de la recomposition familiale, l'enfant est en « déséquilibre temporel » : il n'a plus de repères, il est angoissé et triste, il a peur, il craint de faire de la peine, il veut conserver votre affection, etc. Il peut alors vous dire ce qu'il croit devoir vous dire dans les circonstances. De plus, l'adulte qui interroge l'enfant peut, par le choix de ses questions et la manière de les poser, influencer sa réponse, voire obtenir celle qu'il aimerait entendre. Une extrême prudence est donc de rigueur.

Que dit l'enfant qui pleure et s'agrippe à sa mère le vendredi soir au moment de la quitter pour aller chez son père ? Interrogé par sa mère, il peut répondre : « Je ne veux pas aller chez papa. » Cela est vrai, mais mérite d'être reformulé : « Je n'ai pas envie de me séparer de toi pour aller chez papa. » Évidemment, si cet enfant avait le choix, il aimerait passer le week-end avec ses deux parents. Le refus d'un enfant de voir un parent ne doit pas être automatiquement associé à un problème grave ou à de l'aliénation parentale.

Un autre enfant dira : « Je n'aime pas la nouvelle amie de mon père. » En discutant davantage avec lui, on apprend qu'il accepte mieux les punitions données par son père que par la nouvelle conjointe de son père.

La vérité sort de la bouche des enfants

Attention à la croyance populaire selon laquelle l'enfant ne ment jamais. Des études[5] ont en effet démontré que :

- Les interrogatoires qui n'utilisent pas la suggestion ne sont pas forcément fiables si l'enfant a subi préalablement une manipulation ;

- Les descriptions détaillées et minutieuses ne sont pas un gage de véracité ;
- « Il ne peut pas avoir inventé cela... » La nature des événements n'est pas une garantie non plus ;
- L'enfant rapporte de la même manière les faits qu'il a réellement vécus et ceux qu'on lui a décrits ;
- La qualité de la personne qui a donné des informations tronquées ou inexactes joue un rôle essentiel dans la façon dont l'enfant va adhérer ou non à ce qu'il raconte ;
- L'enfant est parfois tiraillé, écartelé, bafoué dans ses droits fondamentaux de paix, de respect et de prise en compte de ses besoins de vivre son enfance, d'être traité comme un enfant et d'être tenu à l'écart du conflit parental.

Quels sont les pièges qui guettent les parents ?

En général, les enfants s'émerveillent de la vie et de toutes ses douceurs. Ils portent en eux la possibilité du meilleur. La vie est pour eux récréation et collation. Lorsque les parents d'un enfant se séparent, celui-ci a beaucoup de chagrin, et rien n'est aussi grand qu'un chagrin d'enfant. Dans les situations hautement conflictuelles, nous croyons que l'enfant a besoin d'être entendu hors de la présence de ses parents pour s'exprimer à son aise. Il a aussi besoin d'être rencontré en présence de ceux-ci pour qu'ils puissent entendre ses joies, ses souffrances, ses inquiétudes, ses rêves et ses solutions. Le besoin de parler, d'exprimer sa souffrance, ses plaisirs (car il y en a dans la séparation), d'être entendu et de comprendre est vital pour les enfants du divorce.

Recueillir la parole d'un enfant, c'est d'abord et avant tout faire un geste de sincérité et de disponibilité qui doit être dissocié de tout désir de vengeance, de compétition ou de rancœur face à l'autre parent. Il importe évidemment d'éviter de sauter aux conclusions et de prendre le temps de parler de la situation avec l'autre parent. Si la communication directe entre les deux parents est difficile, il est possible de s'adresser à un médiateur familial ou de faire appel à un expert pour avoir une évaluation familiale impartiale. Il est fortement recommandé d'avoir recours à la médiation avant de déposer une procédure à la Cour.

Consulter n'est pas laisser décider

Même petit, l'enfant n'en est pas moins un individu à part entière (un enfant me disait : « Je ne suis pas une demi-portion comme au resto. »). Il a des droits, notamment celui de s'exprimer et d'être écouté. Selon son âge, son discours peut manquer de réalisme ou être très décousu (surtout celui d'un jeune enfant), mais il faut apprendre à le décoder avant de l'interpréter.

Les parents qui sont en conflit risquent parfois de faire porter à l'enfant le poids de la décision. Quel fardeau pour cette jeune personne ! Et il ne faut pas se fier à la taille de l'enfant... Je me souviens avec émotion de ce grand gaillard de 16 ans qui avait éclaté en sanglots devant le juge et les avocats de ses parents parce qu'il était incapable de répondre à leurs questions. Il aurait dit au juge : « J'aime mes deux parents et je ne veux pas choisir. » Le juge a rapidement compris le besoin de ce jeune et a mis fin à l'audition. Il a pris en compte le rapport d'un expert qui lui recommandait de maintenir la garde partagée.

Dans notre société actuelle, on accorde beaucoup d'importance à la parole de l'enfant. Il faut donc prendre les précautions nécessaires avant d'inviter un enfant à témoigner devant la Cour supérieure dans une cause de garde d'enfant ou de droits d'accès. Il ne faut pas confondre « consulter et décider ».

Comme l'écrivait la psychologue Élise-Mercier Gouin :

> « La parole de l'enfant est souvent écoutée sur la base de sa pseudo-maturité intellectuelle, de sa capacité à s'exprimer de façon articulée et cohérente, de son apparente conviction ou sincérité dans l'évocation de ses griefs. Il faudrait aussi tenir compte de la maturité affective qui, à ces âges, ne peut être qu'en développement. Au départ, la responsabilité d'établir la résidence des enfants appartient aux parents et, à défaut, au tribunal avec l'aide des intervenants psychosociaux. Faute d'accord des parents, l'enfant en vient parfois à s'approprier la responsabilité de décider, allant jusqu'à s'accorder le droit d'éliminer un parent de sa vie simplement en affirmant qu'il refuse de le voir. Ce pouvoir donné à la parole de l'enfant le met dans une position

de toute-puissance qui ne peut que l'insécuriser. Il risque aussi de développer ultérieurement un sentiment de culpabilité face au choix que la société lui a permis de faire[6]. »

En résumé

- L'enfant n'exprime pas nécessairement ses sentiments à ses parents au moment de la séparation, non pas par manque de confiance ou d'amour, mais pour les protéger et se protéger lui-même.
- L'enfant s'exprime par la parole, le silence, l'action, l'inactivité ou l'hyperactivité.
- Vous pouvez offrir à votre enfant des occasions de s'exprimer par le dessin, le théâtre, les jeux de rôle ou l'écriture en tenant compte de ses goûts et de ses préférences.
- Si une telle ressource existe dans votre région, n'hésitez pas à inscrire votre enfant à un groupe d'entraide et de soutien pour les enfants de parents séparés.
- Les enfants ont besoin de temps pour s'adapter.
- Les parents sont les mieux placés pour comprendre et intervenir ; ils peuvent recourir, au besoin, à des ressources extérieures pour eux et pour leurs enfants.
- La meilleure modalité de partage des responsabilités parentales est celle que les deux parents choisissent en tenant compte des besoins et des capacités de leur enfant.

- S'il est difficile pour un parent de communiquer directement avec l'autre parent, il peut recourir à d'autres moyens tels que l'écriture ou un intermédiaire. Il peut aussi faire appel à un médiateur familial.
- L'enfant, peu importe son âge, a autant besoin de son père que de sa mère.
- L'enfant peut s'attacher à d'autres personnes que ses parents, par exemple à des nouveaux conjoints ou conjointes qui pourront jouer un rôle significatif dans sa vie ; il faudra alors prendre en compte ce besoin et permettre à votre enfant de revoir ces personnes.
- La parole de l'enfant doit être entendue, « décodée » et interprétée avec prudence ; n'hésitez pas à contacter l'autre parent pour vérifier certains faits.

Notes

1. TIMMERMANS, H. « La culpabilité de l'enfant vis-à-vis de la séparation de ses parents ». *Bulletin INTER-AIFI* 2004 3 : 36.
2. CADOLLE, S. *Familles recomposées : un défi à gagner.* Paris, Hachette Livre Marabout, 2006, p. 28.
3. VALLANT, P. *Rapport d'étude de l'appréciation des parents et des enfants bénéficiaires du groupe Confidences.* Septembre 1999, rapport non publié. Cette étude couvre la période allant de 1992 à 1999 ; BOCHEREL, F. *Rapport d'étude de l'appréciation des parents et des enfants bénéficiaires du groupe Confidences.* Février 2008, rapport non publié. Cette étude couvre la période allant de 1999 à 2007.
4. Si vous croyez que votre enfant peut bénéficier d'une telle ressource, contactez le CSS de votre région ou le travailleur social ou psychologue rattaché à l'école qu'il fréquente.
5. POUSSIN, G. *Extrait du programme de formation de deux jours offert aux experts et médiateurs par l'Association des Centres jeunesse du Québec.* Montréal, Québec, 28-29 avril 2006.
6. GOUIN, É.-M. « Ces enfants qui ne veulent plus voir un parent : solutions judiciaires et psychosociales ». *Revue scientifique* AIFI 2008 2(2).

Chapitre 5

La coparentalité

par Richard Cloutier

Coopérer après la rupture ?

Jusqu'à quel point les ex-conjoints qui ont des enfants en commun doivent-ils coopérer après leur rupture ? N'est-il pas paradoxal de parler d'un lien de collaboration alors que l'on vient de faire le maximum pour s'éloigner l'un de l'autre ? N'est-ce pas une condition pour réussir la séparation que de tourner la page définitivement sur l'ex-conjoint ?

La coparentalité, c'est la façon dont les parents coopèrent dans l'actualisation de leurs rôles parentaux auprès de leur enfant. Le partage des responsabilités, la synchronisation des fonctions de chaque parent, la qualité de la communication dans le quotidien et lors des prises de décisions, le respect des ententes, les stratégies de contrôle des conflits, voilà autant de dimensions de la relation coparentale.

> « La réaction face à la séparation est influencée par la qualité de la relation avant la rupture, les circonstances de la rupture et la façon dont les changements sont vécus. Cela repose sur l'interaction

entre les caractéristiques individuelles des parents et des enfants, les relations familiales et les facteurs extrafamiliaux qui favorisent ou minent le bien-être des membres de la famille au moment où ils font face aux changements et aux défis associés à la transition. Il faut du temps pour s'adapter à la séparation. Des perturbations notables dans les liens et les rôles familiaux, les fonctions parentales et l'adaptation des enfants surviennent au cours de la première année suivant la séparation. Au bout de deux ou trois ans, on retrouve généralement un nouvel équilibre fonctionnel qui s'accompagne d'une amélioration des relations parents-enfants et de l'adaptation des enfants[1]. »

Quand on choisit la séparation comme une solution pour réorienter sa vie, il est difficile d'imaginer un avenir dans lequel figure la personne que l'on quitte. Or, il s'agit là du fondement de la coparentalité, car on est parent pour la vie.

La coparentalité, parce que l'enfant ne se sépare pas

La coparentalité, c'est la relation qu'entretiennent les deux parents, qu'ils soient séparés ou non, pour actualiser leurs rôles mutuels et complémentaires dans la réponse aux besoins de leur enfant. Continuer de coopérer, se soutenir comme parents et viser la cohérence éducative sont des défis importants pour les ex-conjoints. Les obstacles à cette coopération, notamment les désaccords concernant la supervision et les règles à faire respecter par l'enfant, la façon de vivre dans la maison de l'autre, de même que la personnalité et les habitudes de vie de l'autre sont parfois difficiles à surmonter[2]. C'est pourtant le défi que doivent relever les parents séparés pour s'assurer que leur enfant obtienne le soutien nécessaire[3].

Les enfants ont naturellement un fort attachement à l'égard de leurs deux parents et ils sont généralement prêts à faire beaucoup pour maintenir le lien avec chacun d'eux. De plus, en contexte de séparation, le maintien des contributions matérielles, affectives et sociales des deux parents constitue souvent le moyen le plus efficace pour donner à l'enfant le maximum de chances dans la vie.

Pour bien comprendre la coparentalité, il faut d'abord distinguer la relation conjugale de la relation parentale. La séparation met un terme à la relation conjugale, ce qui veut dire que les liens et les rôles mutuels de conjoints sont abandonnés. Elle ne met cependant pas fin à la relation parentale, car « mon ex-conjoint continue d'être le père de mon enfant. » Il faut donc distinguer le « conjoint » du « parent ». Si le conjoint n'existe plus comme tel, le parent continue quant à lui d'exister. Bref, l'enfant, lui, ne se sépare pas.

Dans les cas où la rupture conjugale emporte la relation parentale avec elle, on peut s'interroger sérieusement sur la place faite à l'enfant dans la transition. Cette dépendance entre parentalité et conjugalité est un problème qui survient souvent dans les familles en transition[4]. L'adulte qui se sépare de son conjoint et qui tient pour acquis que son enfant le suivra dans cette rupture confond sa propre trajectoire et celle de son enfant. Cet accaparement de l'enfant peut aller jusqu'à l'abus, c'est-à-dire l'aliénation parentale, lorsque l'autre parent est injustement dénigré par le parent gardien désireux d'avoir l'enfant entièrement « de son côté ». Le chapitre 9 traite spécifiquement de la question de l'aliénation parentale. Pour le parent qui assume la plus grande partie de la garde de l'enfant, il peut parfois être tentant d'éviter de faire une place à l'autre pour ne pas avoir à composer avec lui, même si cette exclusion n'est pas favorable à l'enfant. Pour justifier cette tendance, on attribue souvent à l'autre parent une faible motivation à s'engager, on l'accuse d'incompétence ou d'instabilité et on cherche rarement à valider ses impressions auprès de la personne ou de l'enfant.

La coparentalité est relative, c'est-à-dire qu'elle peut varier considérablement en termes de quantité et de qualité d'engagement. Elle exige cependant toujours de respecter la place de l'autre dans la vie de l'enfant et ses contributions, si minimes soient-elles. Pour cela, il faut arriver à transcender son point de vue personnel et à intégrer la perspective de l'enfant et de l'autre parent. Certains parents y arrivent, d'autres pas. Ce qui est certain cependant, c'est que le maintien d'une bonne coopération entre les parents séparés peut protéger l'enfant contre les risques souvent associés à la séparation, notamment à l'adolescence : baisse du rendement scolaire, augmentation des comportements déviants, sexualité précoce, détresse psychologique, faible habileté à faire face aux problèmes[5].

Situation problématique possible

La séparation met fin à la relation conjugale, mais pas à la relation parentale. Le parent qui confond ces deux relations a certainement plus de mal à accepter que son enfant ait besoin de continuer à voir son autre parent. Pour résoudre ce problème, il faut faire la distinction entre le rôle de conjoint et celui de parent, une distinction sans laquelle la coparentalité n'est pas possible après la séparation.

Le projet de l'enfant n'est pas celui du parent

Les enfants subissent les décisions de leurs parents lorsque ceux-ci choisissent de se séparer ou de se remettre en couple. Selon les recherches, les désavantages de cette transition peuvent surpasser les avantages. Généralement, les enfants veulent vivre avec leurs deux parents dans une famille qui fonctionne bien, sans conflits majeurs. S'ils peuvent comprendre les raisons de la séparation de leurs parents, ils ne la souhaitent pas. La transition va donc à l'encontre de leurs aspirations et leur impose un stress qui peut leur être nuisible.

Il n'est pas facile pour les adultes de prendre conscience que ce sont les conjoints qui se séparent et qu'il leur faut planifier un futur relationnel partagé auprès leur enfant. À cet égard, la coparentalité, qui suppose le maintien du lien de l'enfant avec ses deux parents, est susceptible de mieux répondre aux aspirations des enfants désireux de « ne pas se séparer ». Il arrive d'ailleurs que les relations parent-enfant s'améliorent après la séparation en raison d'un engagement individuel plus actif de la part des parents.

Des questions qui se posent

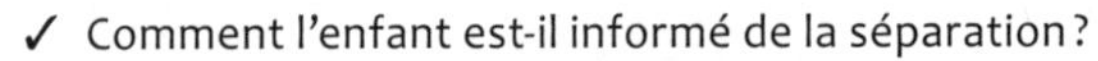
✓ Comment l'enfant est-il informé de la séparation ?

✓ Qui le fait et dans quel contexte cela se passe-t-il ?

✓ Que lui dit-on sur ce qui va lui arriver ?

✓ L'enfant a-t-il l'occasion d'exprimer ses émotions, ses pensées ?

✓ Comment tient-on compte de son point de vue ?

Voilà des questions que devraient se poser tous les parents qui se séparent. Il est sans doute plus facile de les ignorer, d'attendre à la dernière minute pour y faire face et d'improviser lorsqu'il faut agir, mais il est peu probable que ce soit là la meilleure solution. La volonté de réussir des parents est un élément-clé du processus. Il ne faut pas attendre qu'il n'y ait plus de conflits conjugaux pour établir une relation de coparentalité. Celle-ci peut par ailleurs évoluer, même lorsque la situation initiale est difficile. Sur ce plan, se faire accompagner par un professionnel lors de la séparation est une marque de compétence, non pas d'incompétence.

Conjugalité et parentalité : deux relations à ne pas confondre

La famille est un réseau complexe qui comprend plusieurs types de relations en fonction des liens et des rôles de ses membres. Les psychologues du développement définissent la famille comme une cellule sociale qui compte au moins une relation parent-enfant[6]. Selon cette définition, le couple sans enfant n'est pas une famille puisqu'il ne comprend pas de lien intergénérationnel. L'adolescente de 16 ans et son bébé de 6 mois forment cependant une cellule familiale. La relation parentale est donc un élément essentiel de la famille. La cellule familiale est généralement créée par deux personnes unies par une relation dite « conjugale ». Ces conjoints ont vécu en couple pendant une période plus ou moins longue avant d'avoir des enfants. Tous ceux qui en ont fait l'expérience savent que l'arrivée d'un enfant transforme considérablement la relation conjugale. Les fonctions parentales occupent en effet une place considérable dans l'univers domestique. La relation conjugale doit faire place à la relation parentale et ce changement est encore plus marquant lorsque les conjoints sont parents pour la première fois. Le bébé ne peut pas attendre et les tâches liées à la satisfaction de ses besoins exigent beaucoup d'énergie de la part des parents, suscitant des inquiétudes, des insécurités et des questionnements divers. Si le nouveau-né a des besoins particuliers, les réserves d'énergie du couple risquent de s'épuiser encore plus rapidement. Dans tous les cas, la réussite de ce décollage est cruciale pour l'enfant, ses parents et les autres membres de la famille. L'importance de ces enjeux est de mieux en mieux comprise par la société et elle justifie la mise en place de mesures de soutien comme les congés parentaux.

Que devient la relation conjugale à la suite de cette révolution domestique? Il existe une littérature abondante sur le sujet, c'est pourquoi nous ne nous y attarderons pas ici. Mentionnons toutefois que le couple doit survivre à la parentalité et que celle-ci a besoin d'un couple fort pour s'épanouir. Certes, le parent peut exister sans le couple, à travers la monoparentalité notamment, mais ce n'est certainement pas le chemin le plus facile tant pour le parent que pour l'enfant.

La rivalité entre parentalité et conjugalité

Selon les recherches, la dépression postpartum touche entre 10 et 30 % des femmes. Des travaux plus récents portant sur la dépression postpartum chez les pères rapportent des taux variant entre 5 et 10 % et démontrent qu'elle survient plus fréquemment lorsque la mère est aussi en dépression[7]. Manifestement, l'arrivée d'un enfant n'est pas une mince affaire et plusieurs parents ont du mal à vivre cette transition. Les caractéristiques personnelles et les ressources disponibles jouent cependant un rôle important. Plusieurs facteurs sont reconnus comme étant des handicaps, notamment la monoparentalité, un faible revenu, une faible estime de soi, l'anxiété, un épisode antérieur de dépression, le stress psychologique ou l'insatisfaction conjugale[8].

Heureusement toutefois, la naissance d'un enfant est vécue comme une grande réussite par la majorité des couples. Ceux-ci relèvent avec succès le défi des changements apportés au régime conjugal. Cette naissance est un privilège extraordinaire qui se réalise presque toujours à partir du lien conjugal. Tous les membres de la famille, même les autres enfants, doivent mettre du leur dans la recherche d'un nouvel équilibre relationnel. Le nouveau-né a besoin d'une place et les autres membres de la famille doivent impérativement s'ajuster pour lui en faire une.

Si, au début, la relation conjugale occupe toute la place, la venue d'un enfant la confronte avec la relation parentale comme si elles étaient deux sœurs rivales. Dorénavant, le couple conjugal ne sera plus seul et il devra apprendre à vivre avec le couple parental. L'objectif est de trouver un équilibre et de contenir la rivalité afin de protéger la complémentarité des deux couples. Presque tous les programmes d'éducation parentale incitent les membres du couple parental à ne pas négliger leurs besoins de conjoints même lorsque les rôles parentaux leur semblent plus importants. La famille fonctionne en effet plus facilement lorsque la relation conjugale est forte. C'est elle qui cimente l'union entre les personnes qui jouent les rôles parentaux et qui permet au couple de faire équipe. Pour s'investir vraiment, chaque individu doit trouver son compte dans le projet familial, il doit y trouver une réponse à ses besoins pour maintenir spontanément l'engagement qu'exige sa fonction parentale. Si le don de soi fait certainement partie du projet familial, le sens humain de ce projet est beaucoup plus facile à trouver lorsque les besoins de chacun sont satisfaits. Mais cela est plus facile à dire qu'à faire...

L'espace sexuel, l'espace de loisirs, l'espace occupationnel et l'espace social du couple doivent tous se tasser un peu pour faire de la place au nouvel enfant, ce « tiers » qui transforme la dyade en triangle. Le père doit alors faire preuve de maturité pour éviter les malentendus et comprendre que ce n'est pas « parce qu'elle n'en a plus que pour le petit » que la mère est moins disponible. Au contraire, elle a plus besoin d'être cajolée en tant que femme que de se faire reprocher de trop accorder de temps à l'enfant. La mère doit prendre conscience que son conjoint doit non seulement pouvoir demeurer son amoureux, mais aussi trouver sa place en tant que père d'un enfant qui lui doit la moitié de son existence.

Bref, l'objectif est de ne pas laisser la rivalité entre parentalité et conjugalité tuer leur complémentarité.

La rupture conjugale n'est pas la rupture parentale

Dans les lignes qui précèdent, nous avons cherché à différencier le couple conjugal du couple parental. C'est précisément sur cette distinction que repose l'affirmation selon laquelle la séparation conjugale ne marque pas la fin de la parentalité. Or, la confusion entre les deux types de relation est à l'origine de nombreux problèmes familiaux à la suite de la rupture. La fin du couple n'est pas la fin de la famille, car celle-ci continue d'être la première cellule de vie des enfants. Le développement harmonieux de l'enfant passe nécessairement par la protection des ressources dont il dispose.

En divisant la cellule familiale, la rupture conjugale provoque un appauvrissement du système chargé de répondre aux besoins de l'enfant. Là où il n'y avait qu'une seule adresse, il y en a maintenant deux qui disposent pourtant, ensemble, des mêmes ressources. La rupture impose aussi souvent une distance physique entre l'enfant et l'un de ses parents. Cette distanciation a un prix monétaire, mais aussi psychologique et social. Le soutien dont bénéficiait l'enfant est réduit, car les mêmes ressources doivent désormais couvrir de nouveaux besoins, sans parler du stress et des pertes d'énergie de toutes sortes. Cet appauvrissement (économique, psychologique et social) du système familial risque fort d'affecter négativement le développement de l'enfant. Il faut chercher à contrer cet appauvrissement pour protéger l'enfant et ce n'est certainement pas en gaspillant les ressources dont on dispose dans des conflits ou en excluant de la vie de l'enfant l'une des deux personnes les plus significatives pour lui qu'on y parvient. Comme nous l'avons dit ailleurs dans cet ouvrage, la coparentalité est un outil de première importance dans ce contexte.

La protection des intérêts de l'enfant passe par celle des ressources permettant d'assurer son développement. Les parents doivent tout mettre en œuvre pour favoriser son bien-être et aucun d'eux n'a le droit de confondre son propre projet de vie avec celui de son enfant ou de s'accaparer son espace relationnel pour en priver son ex-conjoint sous prétexte que « c'est mieux pour le petit ».

En contexte de séparation, chacun des conjoints doit prendre conscience que l'autre restera le parent de leur enfant pendant toute sa vie et que l'intérêt de ce dernier passe par le maintien de toutes les contributions pouvant lui être faites de la part de l'autre conjoint. Impossible d'imaginer une rupture conjugale provoquant la fin d'une relation parent-enfant sans compromettre les intérêts de l'enfant. La conjugalité et la parentalité sont deux relations à ne pas confondre.

Les deux grands ennemis de l'adaptation après la séparation

Le développement de l'enfant dépend directement de la qualité de la réponse que ses milieux de vie apportent à ses besoins physiques (sécurité, nourriture, logement, vêtements, etc.), psychologiques (affectifs, cognitifs, comportementaux, etc.) et sociaux (réseau de soutien, amis, loisirs, culture, etc.). En tant que premier milieu de vie, la famille fait partie intégrante de l'identité de l'enfant tant qu'il n'est pas autonome. Sa force dépend d'ailleurs beaucoup de celle de sa famille et, à plusieurs égards, il est le reflet de ce qu'il y vit. Si l'adulte, dont le développement est plus avancé, est moins vulnérable à long terme aux effets de la séparation, il n'en vit pas moins une situation stressante et déstabilisante dont les effets peuvent être durables.

Les familles qui se séparent ne courent pas toutes le même risque d'inadaptation. Certaines s'en sortent suffisamment bien pour que leur fonctionnement en soit à peine affecté. Les enfants dont les parents coopèrent et ont peu de conflits s'adaptent mieux à la séparation, mais aussi à la recomposition éventuelle de leur famille. Qu'est-ce qui fait qu'une famille s'en sort mieux qu'une autre ?

Les conflits entre parents

Les conflits et l'appauvrissement sont les deux principaux ennemis à combattre en contexte de transition familiale. Ils sont parfois étroitement liés. Les familles qui réussissent à protéger leurs acquis et à éviter de s'appauvrir ont une longueur d'avance sur les autres, car elles conservent mieux leur capacité à stimuler le développement de l'enfant. Les familles séparées qui évitent de sombrer dans des conflits qui détruisent le climat relationnel construisent leur avenir. Les conflits imposent en effet un stress aux membres de la famille et grugent des ressources précieuses dont ils auraient grand besoin ailleurs, de sorte que les parents qui les évitent ont de bien meilleures chances de se maintenir à flot et de reprendre une trajectoire viable.

Les conflits graves et récurrents conduisent à une impasse dans l'évolution de la situation, car les ex-conjoints ne sont pas fonctionnels dans leurs rapports mutuels. Or, la coparentalité repose sur la capacité des ex-conjoints à maintenir des rapports fonctionnels.

Situation problématique possible

Certains ex-conjoints n'arrivent pas à surmonter leur désir de punir l'autre, de se venger ou de lui faire payer les souffrances endurées. Pour eux, l'« entente de séparation » n'est pas une option viable. L'examen de certains dossiers de divorce litigieux montre bien que les conflits peuvent aller très loin et durer très longtemps. Ils peuvent même entraîner la ruine matérielle et morale des parties au terme d'années de guerre juridique sur différents aspects de la transition, notamment la garde des enfants et le partage des biens.

Il ne faut cependant pas s'illusionner. Si le maintien d'une relation non conflictuelle est considéré comme un avantage pour les enfants et leurs parents, certains auteurs estiment que seul un quart des ex-conjoints y parviennent vraiment et qu'une proportion équivalente reste en conflit. La moitié restante se situe entre les deux extrêmes et pratique une « coparentalité parallèle ». À la faveur d'un désengagement mutuel, celle-ci ne rencontre pas d'obstacles majeurs, mais manque souvent de coordination[9]. Nous savons qu'une séparation en douceur et sans aucun accrochage relève plus de l'utopie que de la réalité et que les conflits font généralement partie du processus de séparation parentale. Dans ce contexte, c'est la façon dont les conflits sont gérés qui distingue les réussites des échecs.

La relation conjugale est terminée et les ex-conjoints doivent évoluer vers une relation qui ressemble davantage à une relation d'affaires et repose plus sur des objectifs explicites que sur un attachement émotionnel. L'hostilité est le reflet de la persistance de l'attachement à l'autre ; pour le contrer, il faut cesser d'investir dans la relation et établir une distance critique par rapport à l'autre.

L'appauvrissement familial

L'appauvrissement familial est l'autre grand ennemi qui peut, inversement, être aggravé par les conflits. Il mine la capacité des membres à relever les grands défis qui se posent lors des transitions. L'appauvrissement renvoie aux pertes matérielles, bien sûr, mais aussi aux pertes humaines et sociales. Au moment de la séparation des parents, la cellule familiale se divise pour donner naissance à deux entités distinctes. On passe d'un seul domicile à deux logements, avec tout ce que cela comporte de frais et de contraintes nouvelles. Et c'est sans compter les frais inhérents à la séparation elle-même en tant que processus.

En l'absence d'argent frais à donner aux familles qui se séparent, la seule solution est de protéger les acquis. Il faut ainsi éviter que la séparation ne diminue les ressources disponibles afin de pouvoir continuer à répondre aux besoins des membres de la famille, notamment à ceux des enfants.

Or, la séparation ne génère pas de revenus supplémentaires. Ainsi, en l'absence d'argent à donner aux familles qui se séparent, la seule solution est de protéger les acquis et d'éviter que la séparation ne diminue les ressources disponibles afin de pouvoir continuer à répondre aux besoins des membres de la famille, notamment à ceux des enfants. C'est à ce moment qu'intervient la relation de coparentalité.

Le paradoxe de la coparentalité

Les intervenants auprès des personnes séparées s'entendent pour dire que la capacité de développer une identité distincte de celle de l'ex-conjoint et de la vie du couple est un facteur important dans l'ajustement post-séparation. « Refaire sa vie » sur de nouvelles bases, indépendantes du passé conjugal, est un processus qui s'inscrit dans le temps et dont la trajectoire varie d'une personne à l'autre.

L'engagement émotionnel intense de la vie de couple ne disparaît pas comme par magie au moment de la rupture. Après plusieurs années de vie intime marquées par les projets communs et les « copropriétés » (enfants, réseau social, maison, etc.), le conjoint fait partie de soi et cette « partie de soi » ne sort pas facilement des automatismes. Ce processus d'individuation est difficile pour tous les couples qui se séparent, mais, pour ceux qui sont parents, il est encore plus complexe en raison de la relation de parentalité qui maintient le lien.

La persistance de l'attachement affectif à l'ex-conjoint après la rupture a souvent été identifiée comme une source de détresse émotionnelle. Les préoccupations et l'hostilité à l'égard de l'ex-conjoint sont deux indices du maintien de l'attachement. Le fait d'être inquiet pour l'autre ou à cause de lui, de penser souvent à lui (positivement ou négativement) et de se faire du souci pour ce qui va arriver en rapport avec lui sont des éléments de préoccupation qui révèlent la persistance de l'attachement affectif. L'hostilité, que l'on voit souvent comme une force de rupture, révèle en réalité l'importance que l'on continue d'attribuer à l'autre : on ne déteste pas quelqu'un qui ne compte pas, il nous est indifférent.

Sur le plan clinique, le maintien d'un attachement fort après la séparation est associé à une série de symptômes tels que la dépression, l'anxiété, le sentiment de solitude, la colère, la perte d'efficacité personnelle, etc. Ces symptômes affectent l'énergie disponible et ne favorisent évidemment pas l'adaptation à la suite d'une séparation. Cela explique que les objectifs de l'intervention thérapeutique aient été, traditionnellement, de mettre un terme à l'engagement émotionnel entre les ex-conjoints et de couper les liens définitivement pour faciliter un nouveau départ. Aujourd'hui, la recherche sur la coparentalité remet en question ce principe d'« attachement zéro ».

L'hostilité, que l'on voit souvent comme une force de rupture, est en réalité un indice de l'importance que l'on continue d'attribuer à l'autre : on ne déteste pas quelqu'un qui ne compte pas, il nous est indifférent.

La coparentalité, un facteur de protection ?

Lorsqu'on demande aux adultes qui ont vécu une séparation de faire un bilan de leur expérience, la plupart d'entre eux affirment, avec le recul, qu'ils ont fait le bon choix et que la vie a repris son cours pour le mieux après une période de crise. En revanche, lorsqu'on pose la même question aux enfants, ils déclarent le plus souvent que la séparation de leurs parents a eu un impact négatif sur leur vie et qu'ils auraient mieux réussi si cette transition n'avait pas eu lieu. On peut se demander si la séparation des parents n'est pas utilisée comme prétexte par certains pour justifier leurs échecs : la séparation parentale a parfois « le dos large » et on l'identifie comme étant la cause de problèmes qui auraient bien pu survenir sans elle.

À ce sujet, il faut souligner que nos connaissances sur les effets de la séparation reposent en grande partie sur les études qui ont comparé des groupes de personnes issues de familles séparées avec des groupes d'individus provenant de familles intactes. Il est cependant impossible d'affirmer que la seule chose qui différencie ces deux groupes est la séparation des parents : plusieurs autres facteurs sont susceptibles de les distinguer. Ainsi, les gens qui ont des problèmes d'argent (perte d'emploi, chômage, faillite, etc.) ou de personnalité (tempérament difficile, instabilité émotionnelle, faibles habiletés sociales, comportements violents, dépression, etc.), des handicaps physiques ou mentaux ou d'autres difficultés risquent beaucoup plus de se séparer que ceux qui n'ont pas ces problèmes.

Si les couples mariés qui n'ont pas vécu ensemble avant leur mariage risquent moins de se séparer que les couples en union libre, il ne faut cependant pas en conclure que le mariage est la solution miracle[10]. L'union libre n'est pas la cause de la séparation : elle définit simplement un groupe social qui semble plus à risque. De la même façon, la séparation n'est pas nécessairement la cause des différences entre les enfants issus de familles séparées et ceux provenant de familles intactes[11]. Pour cerner avec précision les effets de la séparation, il faudrait suivre les mêmes familles dans le temps pour les comparer à elles-mêmes à la suite d'une éventuelle rupture. Ces études sont très exigeantes et demeurent encore rares aujourd'hui.

Cela dit, les recherches menées pour comprendre les effets de la séparation des parents sur le développement de l'enfant ont démontré que les désavantages de la séparation sont nettement plus nombreux que les avantages. Sur le plan de l'adaptation des enfants, on observe souvent des réactions extériorisées comme l'agressivité, l'impulsivité, un déficit du contrôle de soi et des difficultés à satisfaire aux exigences scolaires, ainsi que des réactions intériorisées comme l'anxiété, une faible estime de soi, des symptômes dépressifs et du retrait social[12].

Les garçons ont tendance à réagir de façon extériorisée et les filles, de façon intériorisée.

La coparentalité est un facteur de protection parce qu'elle permet de combattre l'appauvrissement de la famille et de favoriser le développement de l'enfant. La famille est le contexte de développement le plus important pour l'enfant ; c'est elle qui accélère ou entrave ses progrès. Même les ex-conjoints en conflit veulent que leur enfant réussisse bien et qu'il soit heureux. Or, lorsque la famille s'appauvrit, c'est l'avenir de l'enfant qui s'assombrit et ce n'est certainement pas ce que ses parents souhaitent, quels que soient leurs différends. La coparentalité permet donc à l'enfant de conserver ses deux parents en tant que figures principales d'attachement et d'identification, pourvoyeurs de ressources matérielles et médiateurs d'expériences socioculturelles enrichissantes.

La coparentalité, un facteur de risque?

On a souvent observé que les enfants issus de familles séparées sont plus précoces que ceux qui viennent de familles intactes en raison, d'une part, d'une plus grande liberté d'exploration (consommation, sexualité, etc.) liée à une supervision parentale moins étroite et, d'autre part, d'une trop grande responsabilisation au sein de la famille.

On utilise le terme « parentification » pour désigner l'engagement du jeune dans des rôles familiaux habituellement assumés par les parents. Cet engagement peut être instrumental, notamment lorsqu'il concerne l'entretien de la maison, les courses, les soins et la surveillance des petits, ou émotionnel, notamment lorsqu'il renvoie au rôle de confident, de soutien moral ou de conseiller auprès du parent esseulé[13].

Avec leur mère comme avec leur père, les filles sont davantage « parentifiées » que les garçons et cette surresponsabilisation est alimentée par les conflits. On observe que la parentification est plus forte dans les familles séparées où il y a beaucoup de conflits. Les familles intactes qui ont un fort niveau de conflit arrivent au deuxième rang, suivies des familles séparées à faible niveau de conflit et, enfin, des familles intactes à faible niveau de conflit. Les enfants « parentifiés », qui sont surtout des filles, ont tendance à être plus responsables socialement que leurs semblables, mais aussi plus anxieux, plus dépressifs et moins confiants[14].

En contribuant à maintenir un contact entre l'enfant et ses deux parents, la coparentalité peut favoriser la parentification si le jeune agit comme confident et messager auprès de chacun des parents. S'il existe par ailleurs des conflits sérieux entre les parents, l'enfant peut vivre des conflits de loyauté d'autant plus grands qu'il reçoit les confidences de chacun. Ainsi, pour éviter que la coparentalité ne favorise la parentification de l'enfant, les adultes doivent laisser les jeunes vivre leur jeunesse, éviter de transgresser les frontières générationnelles de rôles dans la famille et trouver ailleurs la réponse à leurs besoins émotionnels.

Le développement d'une relation intime et sécurisante avec un nouveau partenaire est la solution la plus efficace pour éviter la parentification de l'enfant après la séparation.

Comment réussir la coparentalité ?

Le défi de la coparentalité consiste à développer une relation de soutien fonctionnel sur des bases autres que la relation de couple. Les ex-conjoints doivent par ailleurs minimiser les manifestations d'hostilité et de préoccupation parce qu'elles nuisent à l'adaptation. Les ex-conjoints qui partagent au quotidien le fardeau parental doivent renégocier les frontières de leurs rôles en dehors de la relation de couple. Ils doivent se baser sur les buts qu'ils ont en commun pour l'enfant et accepter les limites de chacun sans transposer le passé au présent. La relation la plus favorable à l'ajustement entre des ex-conjoints serait caractérisée par un faible niveau d'hostilité, une bonne amitié et un faible niveau de préoccupation. Voici des comportements qui servent d'indicateurs du niveau de préoccupation :

a) Le temps passé à penser à l'autre ;
b) L'importance et la fréquence du questionnement sur ce que l'autre fait ;
c) La fréquence des regrets ressentis à l'égard de la rupture (ex. : « Parfois, je n'arrive pas à croire que nous nous sommes séparés. ») ;
d) Le sentiment que « Je n'arriverai jamais à m'y faire[15]. »

Le défi suppose donc que chacun des conjoints prenne ses distances par rapport à l'autre sur le plan émotionnel, qu'il l'éloigne de son univers de préoccupations mentales tout en maintenant une relation de coopération parentale. On ne peut certes pas ignorer le parent de son propre enfant, surtout si l'on doit entretenir des relations régulières avec lui. Il est normal d'avoir certaines préoccupations à son égard, mais celles-ci ne doivent pas être envahissantes. Il suffit qu'un seul des deux n'y arrive pas pour que l'équilibre fonctionnel soit menacé.

On peut cependant remettre en question le principe selon lequel le maintien d'un attachement affectif entre ex-conjoints est néfaste. La nouvelle définition des frontières des rôles entre les parents séparés n'exclut pas un attachement naturellement soutenu par la réussite de la coopération : si l'ex-conjoint se montre très coopératif, cela peut stimuler l'attachement[16].

Alors que la séparation impose aux parents de tourner la page sur leur relation conjugale, la coparentalité exige qu'ils conservent un lien fonctionnel pour permettre à l'enfant de vivre la relation la plus riche possible avec chacun. Sauf dans les situations de violence ou d'hostilité familiale où l'établissement d'une telle relation n'est pas possible, la coparentalité présente, selon les recherches, un réel potentiel pour la famille réorganisée, et ce, même lorsqu'il y a des divergences entre les ex-conjoints ou que les contributions de l'un ne sont pas à la hauteur des attentes de l'autre.

En résumé

Les parents qui souhaitent donner une chance à la coparentalité parce qu'ils se rendent compte que chacun peut y gagner — leur enfant d'abord et eux-mêmes ensuite — doivent considérer les points suivants :

- Un parent ne peut y arriver seul : les deux ex-conjoints doivent souscrire à l'objectif d'un partage des responsabilités parentales. En revanche, on ne peut présumer des intentions d'un parent sans que la question soit explicitement abordée. Trop souvent, un parent est exclu d'office par l'autre en vertu d'intentions qu'on lui prête sans qu'il y ait validation expresse de cette perception.

- Chacun doit surmonter son égocentrisme et son désir de punir l'autre et prendre conscience du fait que l'hostilité nuit à tous. Cela n'est pas facile lorsque la préoccupation demeure forte et qu'on a le sentiment d'avoir été floué, trompé par une personne qui, justement, a tendance « à ne penser qu'à elle ».
- Les parents doivent être conscients que l'avenir de l'enfant est fragile. Il est un peu trop facile de dire que « les jeunes s'habituent à tout ». Il est plus exigeant de chercher à diminuer les risques pour l'enfant et à protéger sa vie future, quitte à faire une place à l'ex-conjoint dans les rôles parentaux.
- Lorsque les parents mettent un terme à leur relation conjugale, cela ne veut pas dire que la relation parentale se termine ; le père et la mère sont parents pour la vie et, lorsque c'est possible, l'enfant a intérêt à ce que sa relation avec ses deux parents soit protégée par les deux ex-conjoints.
- Si la tolérance zéro n'est pas viable en matière de conflits, il ne faut pas non plus faire preuve d'une tolérance excessive. La coparentalité doit pouvoir exister même lorsque subsistent des mésententes et des divergences entre les parents, car il serait utopique de s'imaginer qu'un couple qui n'a pu surmonter ses différends puisse le faire parfaitement après sa rupture. En revanche, le

niveau de conflit ne peut pas dépasser certaines limites acceptables sans empoisonner le climat et nuire à tous, y compris à l'enfant. Il est contre-indiqué pour l'enfant de garder l'espoir d'une coparentalité fonctionnelle en contexte de violence physique, psychologique ou d'hostilité entre les parents.

Notes

1. HETHERINGTON, E.M. « Should we stay together for the sake of the children? » Dans E.M. Hetherington (dir.). *Coping with divorce, single parenting and remarriage: A risk and resiliency perspective.* Mahwah, New Jersey, Lawrence Erlbaum, 1999, p. 94. Traduit par nos soins.
2. BONACH, K. « Factors Contributing to Quality Coparenting: Implications for Family Policy ». *Journal of Divorce and Remarriage.* 2005 43 : 79-103.
3. SANO, Y., S. SMITH et J. LAIGAN. « Predicting Presence and Level of Nonresident Fathers' Involvement in Infants' Lives: Mothers' Perspective ». *Journal of Divorce and Remarriage.* 2011 52 : 350-368.
4. THÉRY, I. « Évolution des structures familiales: les enjeux culturels du démariage ». Communication présentée dans le cadre du colloque Transitions familiales, conjugalité, parentalité. Québec, Centre de recherche sur les services communautaires, Université Laval, 1994.
5. HARTMAN, L., L. MAGALHÄES et A. MANDICH. « What Does Parental Divorce or Marital Separation Mean for Adolescents? A Scoping Review of North American Literature ». *Journal of Divorce and Remarriage.* 2011 52 : 490-518.
6. CLOUTIER, R., P. GOSSELIN et P. TAP. *Psychologie de l'enfant* (2e édition). Montréal, Gaëtan Morin Éditeur, 2005.
7. GOODMAN, J. « Paternal postpartum depression, its relationship to maternal depression, and its implications for family health ». *Journal of Advanced Nursing* 2004 45 : 26-35 ; PAULSON, J. et S.D. BAZEMORE. « Prenatal and Postpartum Depression in Fathers and Its Association With Maternal Depression ». *Journal of the American Medical Association.* 2010 303 : 1961-1969.
8. OPPO, A. *et al.* « Risk factors for postpartum depression : The role of the Postpartum Depression Predictors Inventory-Revised (PDPI-R) ». *Archives of Women's Mental Health.* 2009 12 : 239-249.

9. MACCOBY, E.E. et R.H. MNOOKIN. *Dividing the child: Social and legal dilemmas of custody.* Cambridge, Harvard University Press, 1992; HETHERINGTON, E.M., M. BRIDGES et G.M. INSABELLA. « What matters? What does not? Five perspectives on the association between marital transitions and children's adjustment ». *American Psychologist* 1998 53 : 167-184.

10. DESROSIERS, H. et M. SIMARD. *Diversité et mouvance familiales durant la petite enfance. Étude longitudinale du développement des enfants du Québec (ELDEQ 1998-2010).* Québec, ISQ, 2010. http://www.jesuisjeserai.stat.gouv.qc.ca/pdf/publications/feuillet/fascicule_famille_fr.pdf

MARCIL-GRATTON, N. et C. LEBOURDAIS. *Garde des enfants, droits de visite et pension alimentaire : résultats tirés de l'Enquête longitudinale nationale sur les enfants et les jeunes (ELNEJ).* Rapport présenté au ministère de la Justice du Canada (rapport no CSR-1999-3F), 1999.

11. PIÉRARD, B., R. CLOUTIER, C. JACQUES et S. DRAPEAU. « Le lien entre la séparation parentale et le comportement de l'enfant : le rôle du revenu familial ». *Revue québécoise de Psychologie* 1994 15(3) : 87-108.

12. HETHERINGTON E.M., M. BRIDGES et G.M. INSABELLA. « What matters? What does not ? Five perspectives on the association between marital transitions and children's adjustment ». *American Psychologist* 1998 53 : 167-184 ; SAINT-JACQUES, DRAPEAU et CLOUTIER, sous presse.

13. CLOUTIER, R., C. BISSONNETTE, J. OUELLET-LABERGE et M. PLOURDE. « Monoparentalité et développement de l'enfant ». Dans M.-C. SAINT-JACQUES, D. TURCOTTE, S. DRAPEAU et R. CLOUTIER (dir.). *Séparation, monoparentalité et recomposition familiale.* Québec, Presses de l'Université Laval, 2004.

14. HETHERINGTON, E.M. « Should we stay together for the sake of the children? » Dans E.M. Hetherington (dir.), *Coping with divorce, single parenting and remarriage: A risk and resiliency perspective.* Mahwah, New Jersey, Lawrence Erlbaum, 1999.

15. MADDEN-DERDICH, D.A. et J. ARDITTI. « The ties that bind : Attachment between former spouses ». *Family Relations* 1999 48 : 243-249.

16. MASHETER, C. « Healthy and unhealthy friendship and hostility between ex-spouses : The role of attachment and interpersonal conflict ». *Journal of Marriage and the Family* 1997 53 : 103-110.

CHAPITRE 6

La communication entre parents

par Harry Timmermans

La nécessité de la communication

Après la séparation, c'est de la communication entre les parents que naissent aussi bien les conflits que les solutions. Les échanges entre parents sont nécessaires et inévitables. En effet, il est illusoire de penser qu'on ne communiquera plus avec l'autre parent après la séparation ou le divorce. Même les parents séparés qui ne se parlent pas communiquent d'une façon ou d'une autre. Des phrases comme « Tu diras à ta mère que... », « As-tu passé un bon moment avec ton père ? » ou « Qui était là en fin de semaine ? » révèlent le besoin du parent de communiquer.

La communication est généralement facile en temps de paix, mais elle devient difficile et inefficace pendant la période de la « crise » et du choc psychologique de la séparation.

De plus, il est rare de rencontrer un parent qui accepte de laisser partir son enfant chez l'autre parent en ne sachant rien de ce qui se passe là-bas. Cette curiosité est naturelle et répond à un besoin essentiel des parents qui veulent savoir ce que vit leur enfant. Malheureusement, la curiosité du parent est parfois interprétée par l'autre parent comme une tentative de contrôle.

En général, la communication se fait facilement en temps de paix, mais elle devient difficile et inefficace pendant la période de la « crise » et du choc psychologique de la séparation. Il est normal que la communication soit rompue pendant la période intense de déstructuration qui caractérise la fin de la vie commune, car elle est la première victime des tensions relationnelles entre les parents.

Si vous réussissez malgré tout à entretenir une bonne communication pendant cette période difficile, dites-vous qu'il s'agit d'un atout précieux, mais fragile. Il est précieux parce que si les parents ne se parlent pas, ce sont les enfants qui héritent de la « tâche » et ils le font par obligation, jamais par plaisir. Par ailleurs, ils le font souvent avec maladresse et provoquent ainsi des tensions réelles entre les parents. Et il est fragile parce c'est souvent le lien avec l'autre qu'on a le plus envie de rompre. Il est sans doute intéressant, en pareille circonstance, de se rappeler des sages paroles de Gilles Vigneault lorsqu'il a dit : « Quand la parole se tait, les canons parlent. » Nous comprenons que toute guerre commence d'abord par l'ignorance de l'autre et que celle-ci prend sa source dans l'absence de communication.

Ainsi, puisque la communication entre parents est inévitable, il vaut mieux y faire face avec lucidité. Voici les pièges classiques d'une communication inefficace et les dangers qui y sont liés.

Le malentendu

La maladie la plus grave de la communication est certainement le « malentendu », c'est-à-dire toutes ces paroles mal comprises ou mal interprétées. On dit, et nous sommes portés à le croire, que les malentendus sont à l'origine des trois quarts des disputes. Ainsi, trois fois sur quatre, le conflit n'a pas de motif réel. Comment expliquer que les ex-conjoints aient des valeurs qui vont dans le sens du meilleur intérêt de l'enfant, mais que, dans les faits, chacun d'eux croit que l'autre peut être un mauvais modèle pour l'enfant ? La réponse se trouve vraisemblablement dans l'inefficacité de la communication et dans les malentendus.

Après la séparation, les premiers malentendus surviennent souvent lorsque l'enfant, pour des raisons parfois difficiles à comprendre, manifeste à l'un des parents la volonté de ne pas aller chez l'autre. L'arrangement conclu par les parents est mis en péril si le premier parent adopte, comme c'est souvent le cas, la position de l'enfant en croyant que celui-ci a raison et qu'il réagit à un mauvais comportement de l'autre parent. Le premier parent développe peu à peu l'idée que l'autre parent est « moins bon », mais il n'aborde pas la situation avec lui par crainte d'être rabroué. C'est le début d'une communication inefficace, avec toutes les conséquences que cela suppose pour la qualité de vie de la famille, qui doit renaître sous une forme nouvelle après la séparation. Lorsque l'enfant présente une difficulté quelconque, il est tentant et facile de penser que celle-ci est causée par l'autre parent. Dans les faits, il est important d'examiner le système établi entre les parents après la séparation, car celui-ci est souvent marqué par des tensions, des silences et des interprétations plausibles mais fausses.

Un autre exemple souvent rapporté est celui de l'enfant qui fait des cauchemars ou qui est plus turbulent qu'à l'habitude quand il revient de chez l'autre parent ; on a souvent tendance, là aussi, à présumer de l'incompétence de l'autre. D'autres malentendus peuvent générer des tensions inutiles. Ainsi, un père dit à son fils, à la fin de la période passée avec lui, qu'il a hâte de le revoir et qu'il va beaucoup s'ennuyer de lui. Lorsque l'enfant arrive chez sa mère, il s'empresse de lui dire qu'il ne peut pas rester longtemps avec elle, car papa lui a confié qu'il s'ennuierait trop. On peut aussi penser à une mère qui dit à sa fille, dans un moment de tendresse : « Il n'y a personne au monde qui t'aime plus que ta maman. » Un peu plus tard, l'enfant dit à son père : « Maman m'a dit qu'elle m'aimait plus que toi. »

La communication est un phénomène complexe qui est constamment soumis au risque du malentendu. Il est très difficile pour un parent de penser que l'autre parent le dénigre auprès de l'enfant. Cette croyance peut rapidement devenir une conviction et il faut une quantité surprenante d'énergie pour se défendre contre une entreprise aussi incompréhensible. La construction d'une pensée si négative est souvent le résultat d'une communication inefficace.

La puissance du malentendu tient au fait qu'il se cache derrière le « plausible », le « possible », le « ça pourrait être vrai ».

Lorsqu'un enfant rapporte des paroles comme « maman a dit que... » ou « papa a dit que... », on croit généralement que ces paroles ont été vraiment prononcées. Si c'est parfois le cas, il est aussi très fréquent que l'enfant entende le parent parler à quelqu'un d'autre et qu'il rapporte ses paroles de façon partielle et hors contexte. L'enfant n'est pas à blâmer, car il n'a pas dans ce domaine la prudence que seule l'expérience peut apporter. Or, on comprend facilement que l'absence d'une communication efficace entre les parents, c'est-à-dire d'un message dit et compris, puisse être une porte ouverte aux malentendus et aux interprétations plausibles mais erronées. La puissance du malentendu tient au fait qu'il se cache derrière le « plausible », le « possible », le « ça pourrait être vrai ». Le malentendu s'installe dès lors solidement dans la communication entre les parents et représente un grand danger pour la famille qui se cherche une nouvelle forme après la séparation.

L'histoire de Jasmin

Jasmin, un charmant petit garçon de 4 ans et demi, vit principalement chez son père depuis la séparation de ses parents. Depuis quelques mois, l'enfant dit qu'il ne veut plus aller chez sa mère. Celle-ci s'adresse à la Cour pour faire reconnaître ses droits d'accès et sa requête donne lieu à une ordonnance d'expertise qu'on nous demande de piloter.

Nous rencontrons le père à son domicile pour discuter des causes possibles du comportement de Jasmin qui ne veut vraiment pas voir sa mère. Si les parents s'étaient entendus au sujet de la garde au moment de la séparation, la communication s'est détériorée depuis. Le père, bien que très en colère contre la mère, demeure un homme intelligent et modéré. Nous évoquons la naissance d'un nouvel enfant du côté de la mère comme un événement pouvant expliquer la décision de l'enfant de ne plus la revoir.

Pendant cette discussion, Jasmin se présente dans la pièce où nous sommes avec une voiture télécommandée que sa mère lui a donnée peu de temps auparavant. Il veut des nouvelles piles, car son jouet ne fonctionne plus. Le père lui suggère fermement de se trouver un autre jouet pour l'instant. L'enfant, visiblement contrarié par cette attitude, quitte la pièce. Sur le coup, nous n'attachons pas d'importance à cet incident, car il ne semble pas avoir de lien avec l'expertise que nous devons faire.

Quelque temps après, nous emmenons l'enfant chez sa mère pour une rencontre. Jasmin, qui ne veut pas y aller, proteste, mais le père assume ses responsabilités et ne lui laisse pas le choix. Une fois en présence de sa mère, l'enfant se comporte comme tout enfant de son âge et ses interactions avec elle sont tout à fait adéquates.

Nous observons également que Jasmin s'occupe bien de sa jeune sœur qui a presque un an. La mère demande à Jasmin s'il a toujours du plaisir à jouer avec la voiture téléguidée qu'elle lui a offerte en cadeau peu de temps auparavant. Après une courte hésitation, l'enfant répond : « Papa a jeté la voiture à la poubelle après l'avoir piétinée » et imite son père détruisant le jouet.

La mère est consternée par le geste du père, mais ravie qu'il soit rapporté devant l'expert de la Cour. Elle soutient justement, dans ses requêtes, que tout ce qu'elle fait est déformé par le père et que cette attitude explique le refus de son fils de la voir. Or, le jouet téléguidé existe toujours, car le père ne l'a évidemment pas détruit.

L'anecdote de la voiture téléguidée, de prime abord sans importance, se révèle finalement être le point tournant de cette expertise. Les malentendus ont détruit le lien de confiance qui existait entre les ex-conjoints et entraîné une rupture de la communication. Il s'ensuit un état de tension quasi permanent et l'enfant hérite de la tâche de véhiculer l'information d'un milieu à l'autre. L'âge de Jasmin ne lui permet pas de s'acquitter de cette tâche — qu'aucun enfant d'ailleurs ne peut assumer adéquatement — et les malentendus se multiplient. L'anecdote du jouet téléguidé n'est qu'un exemple de malentendu. L'enfant a agi ainsi devant sa mère en réaction à sa frustration de ne pas avoir reçu de nouvelles piles au moment où il les demandait à son père. Jasmin n'a pas mal agi, il a simplement agi comme un enfant.

L'histoire de Raphaëlle

Le père de Raphaëlle, une belle fillette de 8 ans, est français et sa mère, québécoise. Après la séparation, la mère ne veut plus que sa fille voie son père, car ce dernier a laissé entendre, pendant la période du choc psychologique de la séparation, qu'il comptait regagner la France avec la petite; c'est ce que veut éviter la mère en ne permettant pas au père de voir sa fille. Ce dernier s'adresse à la Cour pour que ses droits d'accès soient reconnus et ce litige donne lieu à une ordonnance d'expertise qu'on nous demande de réaliser.

Le père profite de la rencontre avec Raphaëlle pour lui remettre des photos de ses oncles, ses tantes, ainsi que ses cousins et cousines qui habitent en France. Ces photos sont présentées par le père comme un trésor, car il s'agit de la famille élargie que l'enfant pourra voir lorsque « maman ne sera plus fâchée »; c'est ainsi que l'enfant résume à son père l'attitude de sa mère au sujet du droit d'accès.

Le père nous appelle peu de temps après cette rencontre. Il est très en colère, car la petite fille vient de lui apprendre au téléphone que « maman a jeté les photos ». Lorsque nous demandons à la mère ce qui s'est passé, nous apprenons qu'elle a rangé les photos dans un tiroir du bureau de Raphaëlle et qu'elles s'y trouvent toujours. Ce qui s'est passé est tout simple : l'enfant, répondant à son père au téléphone dans sa chambre, est surprise de ne pas trouver les photos là où elle les a laissées, c'est-à-dire sur le bureau. Comme elle se souvient qu'il s'agit d'un « trésor », elle ne veut pas admettre qu'elle les a peut-être perdues et répond ce que l'on sait. Raphaëlle se met ainsi à l'abri de la peine ou de la colère de son père, mais elle ne soupçonne pas que ses propos peuvent exacerber les tensions entre ses parents.

Des exemples de cette nature sont légion dans notre pratique quotidienne et minent le potentiel d'entente des parents. Attention: vous avez le droit de vous informer auprès de votre enfant de ce qu'il vit avec l'autre parent. Cette saine curiosité devient toutefois un problème sérieux lorsque l'enfant est le seul interlocuteur. L'impossibilité de valider ou d'invalider l'information auprès de l'autre parent donne lieu à des malentendus qui peuvent faire des dommages importants.

Nous sommes tous exposés et vulnérables aux malentendus. Lorsque le malentendu survient chez un couple vivant sous le même toit, il a généralement la vie courte, car la proximité de l'autre fait en sorte qu'il peut être détecté rapidement. Lorsque les parents ne vivent plus sous le même toit cependant, il a généralement la vie longue et peut prendre beaucoup de place dans la relation entre les ex-conjoints.

Un enfant dont les parents sont en conflit a tendance à fabuler.

Les malentendus alimentent les tensions entre les parents, ce qui perturbe énormément les enfants. Un enfant dont les parents sont en conflit a tendance à fabuler, c'est-à-dire à présenter un récit imaginaire comme s'il était réel.

À la suite d'un week-end chez son père, Antoine se voit demander par sa mère si tout s'est bien passé, s'il a aimé son séjour chez son père. L'enfant répond, enthousiaste, qu'il a passé un super week-end, qu'il est allé au football avec son père et qu'il a mangé toutes sortes de choses. Visiblement « dérangée » par ce récit, la mère réplique en affirmant que c'est probablement aussi à cette occasion qu'il a attrapé un bon rhume. Il est facile d'imaginer que cette remarque a pu refroidir l'enthousiasme de l'enfant.

La semaine suivante, la mère lui pose la même question, mais Antoine se retient cette fois d'exprimer sa joie. Il dit plutôt que c'était ennuyeux, que son père était toujours devant l'ordinateur et qu'il aurait préféré revenir plus tôt. La mère, visiblement satisfaite, le serre dans ses bras et lui exprime sa joie de le revoir. Elle ajoute que son père n'a pas changé et qu'il ne sait toujours pas comment s'occuper de lui. Comblé par la tendresse de sa mère, Antoine a compris qu'il est parfois préférable de dire ce que l'autre veut entendre.

Les enfants sont habiles à deviner ce que l'autre veut entendre et à agir en conséquence. L'enfant peut appliquer cette découverte à l'autre parent pour obtenir des marques d'acceptation et de tendresse de sa part. Les ex-conjoints risquent alors de devenir des ennemis irréconciliables.

Comme c'est souvent l'enfant qui véhicule l'information entre des adultes qui ne se parlent plus, les malentendus sont davantage la norme que l'exception et peuvent parfois prendre des proportions effarantes. La communication inefficace engendre de très fortes pressions sur les personnes. Il arrive parfois que des enfants n'arrivent plus à vivre avec ces malentendus et qu'ils « explosent » littéralement ; c'est l'enfant qui ne se présente plus à l'école ou qui tombe malade, ou encore l'adolescent qui perd le goût de vivre et dit à ses parents que s'il était mort, il n'y aurait plus de problème.

Les attitudes favorisant une communication efficace

Certaines personnes adoptent des attitudes qui les mettent à l'abri des malentendus et favorisent la résolution des problèmes. Elles possèdent ce que nous appelons des « capacités » sur le plan de la communication.

La première de ces capacités est de savoir transmettre des messages clairs, c'est-à-dire de ne pas tenter de tout dire en même temps. Par exemple, si l'école vous convoque parce que votre enfant a des problèmes de comportement et que vous profitez de cette occasion pour rappeler à votre ex-conjoint un fait ancien que vous n'avez toujours pas accepté, vous passez à côté des problèmes de votre enfant. Il est possible que vous vous disputiez et que ce soit la dernière fois que l'école vous convoque ensemble. La transmission d'un message clair suppose de parler d'une seule chose à la fois et de vivre au présent.

Les personnes qui conjuguent au présent les expériences du passé continuent de vivre dans le passé. Elles ne sont pas sensibles à ce qui se passe dans le présent, et c'est souvent dans ces circonstances que des messages brouillés ou contaminés par des histoires anciennes rendent la communication inefficace. Il ne sert à rien de dire à quelqu'un d'oublier ses mauvais souvenirs en prétendant que nous n'avons pas de pouvoir sur le passé. En réalité, nous avons du pouvoir sur le passé, car les actions positives accomplies dans le présent seront inscrites dans notre histoire comme de bons souvenirs. Si la multiplication des bonnes actions n'efface pas les mauvais souvenirs, ces derniers perdent cependant en importance et finissent, la plupart du temps, par disparaître de notre univers interprétatif. Voilà pourquoi il est important de vivre et de bien vivre au présent.

La deuxième capacité, sans doute la plus importante, est de savoir écouter. Si les ex-conjoints parlent en même temps, il n'y a pas d'écoute et, en l'absence d'écoute, il n'y a pas de réelle communication. Il vaut parfois mieux prendre une pause, se détendre et prendre conscience que l'entretien évolue vers l'échec avant de reprendre la communication en tenant compte de cette alarme. Comment se manifeste la capacité d'écoute ? Une bonne écoute suppose deux comportements visibles :

1) Garder le silence pendant que l'autre parle ;
2) Essayer de comprendre ce que l'autre dit. Nous avons maintes fois observé qu'il est beaucoup plus difficile d'essayer de comprendre ce que l'autre dit que de simplement garder le silence quand il parle. En effet, on garde souvent le silence pour préparer sa réponse sans vraiment se soucier de comprendre l'autre personne.

Dans une communication difficile avec l'autre, il n'est pas nécessaire d'être d'accord avec ce qui est dit mais il est nécessaire de l'entendre. Il n'est pas nécessaire non plus de répondre immédiatement : il vaut parfois mieux se retrouver seul pour réfléchir à ce qui a été dit. C'est généralement ces moments de réflexion qui nous orientent vers une attitude de compromis. C'est souvent le seul moyen d'arriver à un accord avec l'autre.

Le message d'espoir, celui qui nous permet d'espérer établir une communication efficace est le suivant : c'est celui qui écoute qui donne toute sa qualité à la communication. C'est là l'élément-clé de la communication entre les humains. En effet, qu'arrive-t-il à la personne qui parle et qui n'est pas écoutée ? Elle a tendance, dans un premier temps, à parler plus fort pour attirer l'attention de l'autre. Et puisque cela ne fonctionne pratiquement jamais, elle adresse souvent à l'autre des mots blessants. La tentative de communication se solde par un échec et suscite une grande frustration qui rend encore plus difficile la reprise du dialogue.

L'écoute exige des compétences particulières que chacun peut développer. Il faut d'abord utiliser ses deux oreilles : l'une sert à entendre et à essayer de comprendre ce que dit l'interlocuteur, tandis que l'autre sert à nous entendre nous-mêmes, à nous rendre sensibles à ce que nous avons envie de dire et à gérer adéquatement cette pulsion qui nous porte si souvent à couper la parole à l'autre. La personne qui parle fait généralement attention à ce qu'elle dit lorsqu'elle se sent écoutée. À l'inverse, elle est portée à dire n'importe quoi lorsqu'elle n'a pas l'attention de son interlocuteur, car ses propos sont sans conséquence.

L'écoute est un acte de générosité qui nous permet de croire que l'autre nous écoutera aussi un jour en retour. Les échecs sont principalement dus au fait que nous sommes animés par le besoin d'avoir raison et que nous utilisons souvent le blâme pour critiquer l'autre, en particulier dans le contexte de la séparation. Délivrez-vous du besoin d'avoir raison, car ce n'est pas important. La complexité du genre humain est telle qu'il existe sans doute plus d'une hypothèse pour expliquer ou comprendre un comportement ; il est dès lors possible que les deux personnes aient raison. Ce qui est important, c'est de *comprendre*.

Chez les couples qui sont ensemble depuis plusieurs années, l'échec vient souvent du fait qu'on croit connaître l'autre parfaitement et qu'on estime qu'il est dès lors inutile de l'écouter. Or, on ne connaît jamais parfaitement l'autre et il peut encore nous surprendre par des réactions que nous n'avions pas anticipées.

L'échec peut également être causé par l'impression d'avoir tout essayé. Nous avons cependant constaté que les personnes qui avaient cette impression faisaient toujours la même chose, mais plus intensément, avec plus de force. Ainsi, la répétition des mêmes actions donnera toujours les mêmes résultats.

Les différentes causes de l'échec de l'écoute peuvent souvent être associées à une démission subtile qui nous permet de justifier notre inaction dans ce domaine. Nous nous retrouvons alors sans solution et il vaudrait sans doute mieux dire « je ne sais pas quoi faire de plus » pour conserver un bon potentiel d'écoute, car c'est justement une bonne écoute qui nous renseigne sur « quoi faire de plus » ou « comment faire autrement » pour obtenir le résultat recherché, c'est-à-dire établir une communication efficace.

Dans la communication, l'important n'est pas seulement ce qui est dit, mais aussi ce qui est compris.

On appelle rétroaction la troisième capacité: il s'agit de savoir vérifier si on a bien compris. Dans la communication, l'important n'est pas seulement ce qui est dit, mais aussi ce qui est compris. Lorsqu'on vérifie auprès de l'autre si on a bien compris ce qu'il a voulu dire, on lui montre qu'on accorde de l'importance à ses propos. En revanche, si nous ne l'avons pas écouté, il y a fort à parier que l'autre ne répétera pas ses propos et qu'il fera plutôt des remarques comme « Ça ne donne rien de te parler, tu n'écoutes pas. »

La quatrième capacité, qui est certainement la plus complexe mais dans laquelle tous les parents sont habiles, est de savoir réagir à l'expression des sentiments. Lorsque l'autre personne rejette votre demande, vous avez le choix de quitter la pièce ou de reformuler vos besoins. La gestion des sentiments exige beaucoup de flexibilité.

Pensez à votre expérience de parent : lorsque vous dites à votre enfant qu'il a un rendez-vous chez le dentiste et que celui-ci répond qu'il n'ira pas, vous n'appelez pas le dentiste pour annuler le rendez-vous. Vous trouvez une autre façon d'aborder le problème et soulignez l'importance des soins dentaires. Surtout, vous prenez votre temps et laissez à l'enfant l'occasion de réfléchir.

Les effets d'une communication efficace

L'organisation d'une garde partagée viable et intéressante commence par l'établissement d'une communication efficace et non pas par un partage mathématique du temps. Vivre une garde partagée sans partage d'information significative avec l'autre parent, c'est accepter que presque la moitié de l'univers de votre enfant vous échappe. Certains parents se parlent si ouvertement de leur enfant que le parent moins présent physiquement finit par l'être grâce à la parole.

Notre expérience nous porte à croire que la communication est possible même dans les situations de fortes tensions si les ex-conjoints ne perdent pas de vue les attitudes de base ou les capacités dont nous venons de parler. Des recherches démontrent aussi que « plus les parents et les enfants communiquent au sujet de l'organisation de la garde, plus le temps de garde est partagé de manière égalitaire entre les parents après la séparation[1] ».

Une communication efficace entre les parents leur offre la possibilité de répondre aux revendications de l'enfant en lui disant: « Je vais en parler à ton père (ou à ta mère) et on verra. » Ils bénéficient alors d'un temps de réflexion et du soutien d'un allié pour les aider à trouver une réponse. Pour l'enfant, le message est clair: la décision viendra de papa et de maman et sera, par le fait même, importante et incontournable.

Les conséquences prévisibles d'une absence de communication efficace

Il est évident que les messages transmis à un enfant par des parents qui ne se parlent pas peuvent être contradictoires. Ces contradictions entraînent parfois l'enfant dans un conflit de valeurs. Que peut penser et faire l'enfant lorsque « maman veut » et que « papa ne veut pas » ? Pour l'enfant, rien n'est plus efficace qu'un même message venant de ses deux parents.

Le vide qui s'installe entre les parents qui ne se parlent pas favorise le développement d'un contexte propice à la manipulation. De plus, il est dangereux de donner à l'enfant l'impression que les adultes sont incapables de régler leurs problèmes et de s'entendre à son sujet.

Les formes d'une communication efficace

Si la communication verbale ne fonctionne pas « pour le moment », il y a d'autres façons d'obtenir l'information souhaitée. En tenant un « carnet de bord », on peut faire part par écrit à l'autre parent des événements importants dont il doit être informé. Écrire suppose un moment de réflexion ; de plus, c'est une forme d'expression qui permet de reprendre, sans qu'il y ait de conséquence, un texte que le recul et la réflexion font paraître inadéquat. Les « capacités » de communication évoquées précédemment s'appliquent aisément au texte écrit.

Nous pensons enfin que les parents ont aussi besoin qu'on leur témoigne une certaine délicatesse pour répondre avec doigté et compétence aux défis éducatifs et affectifs de la parentalité. On peut notamment dire à l'autre parent à quel point on est fier d'avoir cet enfant et exprimer notre reconnaissance à ce sujet. Imaginez la scène suivante : un enfant revient de chez son père et dit à sa mère : « Maman, c'est ta fête demain et j'ai hâte. » La mère dira sans doute à son enfant qu'il est gentil et attentionné. Et si l'enfant répondait alors : « Mais maman, c'est papa qui m'y a fait penser. » Ces attentions délicates, ces « délicatesses entre parents » ne coûtent pas cher et sont nécessaires pour entretenir un climat de communication efficace.

C'est dans la dispute que l'on voit toute la puissance de la politesse. C'est ce que souligne notamment le poète Félix Leclerc[2], qui nous rappelle qu'il est préférable de demeurer poli dans les situations difficiles, car réagir avec grossièreté et vulgarité rend les lendemains impossibles. Il est bon de se rappeler que nous sommes toujours responsables de nos réactions et que c'est nous qui décidons et qui gérons notre manière de réagir.

Lorsque l'inefficacité de la communication a causé des dommages irréparables, il peut être utile de demander l'aide d'un médiateur familial. Il ne faut surtout pas hésiter à demander et à recevoir l'aide requise pour rétablir et entretenir un lien de communication efficace avec l'autre parent. Souvenez-vous qu'aucun enfant ne bénéficie de l'absence de communication entre ses parents à son sujet et nous croyons sincèrement qu'il n'y a pas d'enfant plus gagnant dans la vie que celui dont les parents coopèrent. Cette coopération n'est possible que lorsqu'il existe un lien de communication efficace.

Pour offrir à l'autre la qualité d'accueil dont nous rêvons et pour que notre réponse soit pertinente et efficace, l'écoute devrait idéalement représenter 80 % de notre communication.

Il est possible de développer ses capacités d'écoute, d'observation, de concentration et de mémorisation. De la même façon, on peut très bien apprendre à prévenir les blocages de l'écoute et à offrir une écoute de qualité à ses interlocuteurs.

Notes

1. Beaudry, M. *Le partage des responsabilités parentales à la suite d'une séparation*. Laboratoire de recherche, École de service social, Université Laval, 2e trimestre 1991.
2. « Car moi la politesse, surtout dans la chicane, m'a toujours étonné », tirée du texte poétique « L'an 1 » de Félix Leclerc publié dans *Le Monde* le 20 novembre 1976.

CHAPITRE 7

Une expérience d'éducation parentale: les séminaires sur la coparentalité

par Harry Timmermans

Nous savons par expérience que la rupture conjugale représente l'une des épreuves les plus difficiles à vivre et à surmonter. Ce passage est souvent marqué par la violence, la souffrance et l'agressivité envers l'autre ou envers soi-même. On peut comprendre que certaines personnes se tournent naturellement vers des ressources judiciaires qui prévoient un encadrement strict et des sanctions. On remarque cependant que le contexte contemporain propose plutôt des démarches de réflexion propres à stimuler une énergie de construction plutôt que de démolition, et les personnes qui vivent ce drame sont maintenant plus souvent portées à rechercher des services à caractère psychosocial et à faire appel, notamment, à un médiateur.

Si les conjoints se séparent, l'enfant reste lié à ses parents et continue généralement de les aimer tous les deux. Il peut être très angoissant pour l'enfant de penser que son ou ses parents pourraient se désintéresser de lui. Au contraire, il est en droit de s'attendre à ce qu'ils continuent de s'occuper de lui.

Pour que cette coparentalité fonctionne, le couple doit apprendre à se comporter de manière civilisée devant l'enfant et à se faire confiance.

C'est dans cet esprit et grâce à l'encadrement d'une équipe multidisciplinaire, soit le Service d'expertise psychosociale et de médiation à la famille du Centre jeunesse de Montréal, qu'ont été créés les séminaires sur la coparentalité. L'objectif est d'aider les parents à réaliser une alliance nécessaire pour le bien de l'enfant. Le principe actif de ces rencontres est de « mieux comprendre pour mieux agir ».

Dans une situation de séparation ou de divorce, nos sentiments sont généralement brisés et ils sont mauvais conseillers pour orienter notre conduite. En revanche, notre intelligence est, la plupart du temps, intacte, car nous continuons de vivre, de travailler et de gérer adéquatement les autres aspects de notre vie. L'intelligence se nourrit principalement d'information et les séminaires sur la coparentalité exploitent cette force qui nous reste en informant les parents présents sur la réalité du divorce et ses conséquences. Les parents qui bénéficient d'une information bien ciblée sont généralement plus conscients des conséquences de leurs comportements et comprennent mieux les réalités vécues et à venir.

Tout adulte a besoin de comprendre ce qui lui arrive pour mieux le vivre. Il est rare qu'une personne qui vit un divorce comprenne bien ce qui se passe : la peine ou la colère est trop grande, le recul n'est pas suffisant et les hypothèses de vie sont trop lourdes à gérer.

Les modèles de savoir-faire et de savoir-être sont rares dans ce domaine et le besoin d'information est pressant lorsque nous devons faire face à cette problématique. Nous croyons que les personnes les mieux informées ont plus de facilité à prendre des décisions et des orientations adéquates. Le danger, c'est de croire que l'on peut traverser cette crise sans un éclairage supplémentaire.

Nous vous présenterons, dans ce chapitre, l'expérience que nous menons selon cette approche depuis 1995, ainsi que ses origines, ses objectifs et son évolution.

L'origine des séminaires sur la coparentalité

En 1984, une approche de groupe a été créée au Service de médiation à la famille du Centre jeunesse de Montréal, où des séances d'information étaient données aux parents dans le but de les sensibiliser au processus de médiation. Le volet « coparentalité » n'était cependant pas couvert par ces séances. Au début des années 1990, le Service d'expertise psychosociale du Centre jeunesse de Montréal a organisé des rencontres pour les parents en attente d'une expertise dans le but de discuter de la réalité des enfants faisant face au divorce de leurs parents. Au même moment, une expérience parallèle était menée par le Service de médiation, où un collègue se servait de l'approche de groupe pour sensibiliser ses clients en médiation à la réalité et aux conséquences prévisibles de leur séparation. Nous espérions, à l'époque, que l'intervention de groupe aiderait les parents à mieux saisir la réalité de leurs enfants et l'impact de leurs conflits sur ces derniers. Nous comptions sur l'effet de groupe pour normaliser et améliorer le résultat de nos interventions individuelles.

Ces expériences nous ont amenés à constater, graduellement, que les parents avaient un besoin pressant d'être informés sur la réalité du divorce, tant pour leurs enfants que pour eux-mêmes.

Afin de répondre aux besoins des parents et des intervenants, nous avons créé, en 1995, les séminaires sur la coparentalité. Nous avons formulé l'hypothèse que l'approche de groupe était la plus indiquée, car elle offrait aux parents un sentiment de partage (dans la mesure où la présence d'un groupe nous fait prendre conscience que nous ne sommes pas les seuls à vivre une expérience difficile). De plus, les intervenants de ces services cherchaient une approche autre qu'individuelle pour diffuser l'information requise dans un contexte de séparation ou de divorce.

Les séminaires sur la coparentalité comprennent deux rencontres de deux heures chacune portant sur les thèmes suivants : le choc psychologique de la séparation, les besoins et les réactions des enfants selon leur groupe d'âge, la communication entre les parents et la famille recomposée. Il s'agit essentiellement d'un groupe d'écoute, car les personnes qui y assistent ne viennent pas partager leurs expériences avec les autres et ce n'est pas non plus un groupe de discussion.

Les objectifs

Le but *explicite* du programme est de fournir l'information recherchée par les parents qui vivent une situation de séparation ou de divorce. Nous y arrivons en leur faisant profiter de l'expérience précieuse des personnes qui les ont précédés dans ce genre de conflit et que nous avons accompagnées tout au long du processus. Cette façon de procéder nous donne un fort impact de crédibilité, car les participants ont la certitude que l'information reçue est concrète et adaptée à leur réalité. Il s'agit là d'un contexte pratique qui rejoint les préoccupations principales des parents.

Le but *implicite* est de favoriser une élévation du niveau de conscience des parents participants par rapport à ce qui leur arrive et ce qui arrive à leurs enfants. Cette élévation du niveau de conscience leur permet de faire une synthèse de leur propre expérience et leur offre un espace de réflexion avant la prise de décisions importantes. Nous mettons ainsi l'accent sur l'intelligence que nous avons tous et permettons aux parents de développer leur confiance en eux-mêmes et de reprendre le contrôle de leur vie.

La sélection des participants

Au départ, les participants devaient être inscrits à l'un de nos services personnalisés, soit l'expertise ou la médiation.

Depuis l'automne 2000 toutefois, toute personne impliquée dans une problématique de divorce peut s'inscrire si elle (ou son conjoint) habite l'île de Montréal et qu'un enfant (18 ans et moins) est partie prenante de la problématique de séparation.

Les parents devraient idéalement assister ensemble à ces séminaires : l'information reçue est alors la même pour les deux parents, ce qui constitue un facteur d'équilibre. Les parents peuvent cependant y assister séparément lorsque la situation l'exige, notamment dans les cas de violence.

Les couples qui s'inscrivent en médiation ou qui demandent une expertise obtiennent immédiatement un rendez-vous pour les séminaires. Cette prise en charge rapide est rassurante pour les clients. De plus, le service personnalisé (expertise ou médiation) qu'ils obtiennent à la suite des séminaires s'inscrit dans une continuité de pensée et d'action qui est également rassurante pour les parents. Les personnes qui participent aux séminaires sans être inscrites à un autre service en retirent des informations très utiles qui risquent fort de servir de guide et d'encadrement dans les démarches qu'elles entreprendront pour assumer leur séparation ou leur divorce.

Les forces du programme

Nous pensons que le contenu répond directement aux besoins des parents et représente la force principale de notre action. Ce que nous appelons « l'effet de groupe » est également important, puisque les rencontres entre personnes vivant la même situation problématique ont pour effet de rompre l'isolement souvent ressenti en pareille circonstance; il y a un effet normalisant et rassurant pour les participants. Enfin, les parents ont l'occasion de comparer leur expérience à celles des autres, ce qui leur permet de faire une synthèse de leur propre expérience et, comme nous l'avons évoqué précédemment, donne lieu à un précieux moment de réflexion avant la prise de décisions importantes.

Enfin, la force du nombre n'est pas à négliger pour apprécier cette ressource d'abord offerte par le Centre jeunesse de Montréal (entre janvier 1995 et septembre 2005), puis dans le cadre d'une pratique privée (entre septembre 2006 et juin 2011)[2]. Effectivement, entre 1995 et 2011, 208 séminaires (416 séances) ont été organisés. Ces séances, qui rassemblaient en moyenne 23 personnes par session, ont exigé 9 568 déplacements de personnes.

Les mesures d'évaluation du programme

Après chaque séance, nous demandons aux participants de compléter un sondage d'appréciation. Ces sondages sont un outil précieux pour orienter notre programme et nous permettent d'apprécier l'effet de notre intervention à court terme.

Nous avons fait une évaluation formelle des séminaires six mois après le début du programme, en juillet 1995. Les résultats de cette évaluation, intitulée *Bilan des parents et appréciation des services rendus*, ont été compilés en janvier 1996. Ils couvraient les 14 premiers groupes (381 personnes ont assisté à la première séance et 341 à la deuxième, ce qui signifie que 90 % des participants sont revenus à la deuxième séance). Le bilan nous a semblé très positif et nous a donné l'énergie de continuer.

À l'été de 1999, une étude intitulée *Rapport d'étude de l'appréciation du Service d'expertise psychosociale par les clients bénéficiaires d'une expertise* a été menée par une chercheuse indépendante, Pascale Vallant. La partie consacrée aux séminaires sur la coparentalité ne faisait état d'aucun commentaire négatif. Par ailleurs, 86 % des personnes ayant assisté aux séminaires ont dit avoir appris et retenu des informations précieuses à la suite de ces rencontres (55 % des répondants ont ainsi évité de placer l'enfant au centre du conflit). Il en ressort clairement que le message véhiculé par l'animateur a été bien compris par l'ensemble des répondants.

Une troisième évaluation a été menée dans le cadre d'une recherche pancanadienne[3]. Cette recherche a démontré l'utilité d'une telle approche et a proposé des avenues intéressantes pour l'améliorer. Elle a notamment suggéré d'augmenter le temps consacré à ces séminaires en proposant, par exemple, de prévoir une troisième séance, d'ajouter un volet d'information à caractère légal et de prévoir une coanimation impliquant un juriste et un spécialiste des relations humaines. Elle a par ailleurs démontré que les parents bénéficiaient grandement de cette approche. En effet, il semble que l'assistance à ces séminaires incite les parents à mieux prendre en compte le besoin de l'enfant d'être tenu à l'écart du conflit et améliore leur capacité à collaborer en tant que parents.

Une quatrième évaluation couvrant la période allant de mai 2000 à mars 2001 a rapporté un taux d'appréciation de 84 % pour l'ensemble des thèmes développés. L'évaluation se basait sur les sondages complétés par les participants, sondages dans lesquels ils devaient indiquer leur appréciation sur une échelle de 1 (pas apprécié du tout) à 5 (très apprécié). De plus, l'idée d'une troisième rencontre portant notamment sur les différents types de gardes a obtenu une appréciation de 72 % (nous avons, pour la période allant d'avril à août 2001, sondé l'intention des personnes de participer à une troisième rencontre sans en préciser le thème : 105 personnes ont répondu à cette question et, encore une fois, 72 % des répondants ont manifesté leur intention d'assister à cette troisième séance). Quatre-vingt-douze pour cent des participants ont indiqué qu'ils pourraient recommander ces séminaires à d'autres personnes. Enfin, la *Charte de la coparentalité*[4], qui englobe une partie du contenu de ces séminaires, a reçu une appréciation de 89 %. Cette quatrième étude confirme donc la satisfaction des participants à l'égard de ce programme.

Une cinquième évaluation couvrant la période allant de février à mai 2002 tenait compte du sexe du répondant. Nous avons ainsi appris que 48 % des sondages étaient complétés par des hommes et 52 % par des femmes. Cette répartition semble refléter la proportion d'hommes et de femmes présents dans ces séminaires. Nous avons par ailleurs appris que le thème portant sur le choc psychologique de la séparation recevait une appréciation de 63 % de la part des hommes et de 82 % de la part des femmes. Nous avons évalué que 84 % des personnes présentes complétaient le sondage, que 60 % des personnes inscrites se présentaient effectivement à la première séance et que 88 % des personnes présentes à la première séance revenaient à la deuxième. Pendant cette période, il y a eu 218 inscriptions et 131 présences pour une moyenne de 22 personnes présentes à la première séance.

Les commentaires des médiateurs et des experts qui, entre 1995 et 2005, ont assuré un suivi personnalisé des parents à la suite des séminaires sur la coparentalité représentent aussi une source importante d'évaluation du programme. Cette appréciation clinique nous apprend que les parents qui ont assisté aux séminaires sont souvent plus attentifs aux nouveaux besoins de la famille. La médiation et l'expertise deviennent dès lors des processus plus faciles et plus rentables. Il arrive aussi que les parents parviennent à s'entendre d'eux-mêmes sur les grandes questions et à trouver des solutions justes et des arrangements auxquels ils ont tous deux consenti.

Les résultats des sondages portant sur les 208 séminaires s'étant tenu entre février 1995 et juin 2011 indiquent que la partie portant sur le choc psychologique de la séparation a été appréciée par 72 % des répondants. C'est le thème le plus difficile à aborder, surtout pour les hommes. Les besoins et les réactions des enfants, quant à eux, ont été appréciés à 91 %, la communication à 93 % et la famille recomposée à 92 %. Nous avons par ailleurs pu constater le besoin pressant d'information des personnes vivant une séparation. En effet, 86 % des personnes présentes à la première séance sont revenues à la deuxième et 76 % des personnes présentes à la deuxième séance auraient volontiers participé à une troisième.

Sous la rubrique « ce que vous avez le plus apprécié », les répondants ont surtout mentionné les contenus liés aux enfants, les explications sur la communication, les exemples concrets, l'humour, la déculpabilisation par le contenu, la clarté du message, la *Charte de la coparentalité* et les documents fournis. Sous la rubrique « ce que vous avez le moins apprécié », ils ont surtout rapporté l'absence de l'autre conjoint (et parfois sa présence), l'horaire et la courte durée du séminaire.

Nous avons été surpris par le commentaire de nombreux parents qui ont indiqué, dans les réponses aux questions ouvertes, que ces séminaires leur avaient permis de mieux comprendre leurs réactions lorsque leurs propres parents se sont séparés : « Je comprends mieux maintenant mes réactions à la séparation de mes parents quand j'étais enfant. » C'est une interrogation qui se poursuit souvent à l'âge adulte, surtout lorsqu'on veut soi-même éviter la solution que nos parents ont choisie.

Dans un article préliminaire à sa grande recherche, Judith Wallerstein écrivait que les adultes qui se remémorent le divorce de leurs parents leur reprochent surtout de ne pas leur avoir fourni plus d'explications au moment de la séparation. Celle-ci demeurait dès lors un événement incompréhensible pour eux : « *I don't remember anybody explaining anything to me. This was the complaint that came up over and over again with these children*[5]. »

Nous retenons donc qu'il est important de parler à nos enfants de la séparation, car il ne faut pas les laisser sans explications. Nous ajoutons qu'un adulte qui comprend ce qui lui arrive est plus à même d'en parler à son enfant.

Les perspectives d'avenir

Les séminaires sur la coparentalité produisent les effets escomptés : élévation du niveau de conscience par rapport à la réalité et consécration d'une règle d'efficacité qui dit « mieux comprendre pour mieux agir ». L'effet de groupe et l'approche personnalisée subséquente (médiation, expertise ou relation d'aide) participent également au succès de ces séminaires.

Cette approche contemporaine tend à se généraliser, car elle répond à un besoin important pour les parents qui vivent une séparation. Plusieurs expériences de ce genre sont d'ailleurs en développement.

Déjà en 1998, la recommandation n°10 du comité mixte du Sénat canadien soulignait ce besoin de soutien aux parents dans les termes suivants :

> « Le Comité recommande que, exception faite des cas où les deux parents se sont entendus au préalable, tous les parents qui font une demande d'ordonnance parentale soient tenus de participer à un programme d'éducation qui les aidera à mieux comprendre

la manière dont parents et enfants réagissent au divorce, les besoins des enfants à diverses étapes de leur développement, les avantages qu'il y a à s'entendre sur l'exercice du rôle parental après le divorce, les droits et les responsabilités des parents, de même que la disponibilité de services de médiation ou d'autres mécanismes de résolution des conflits et les avantages d'y avoir recours s'ils existent. On exigerait des parents un certificat attestant de leur présence aux séances de ce programme d'éducation post-séparation comme condition préalable à la présentation de leur demande d'ordonnance. Les parents ne devraient pas être obligés d'assister aux séances ensemble.[6] »

Aussi, l'Institut Vanier[7] rapporte que trois personnes sur dix (29,8 %) ont fait appel à au moins un service de soutien social (counselling pour adultes et pour enfants, séances de formation ou d'information pour les parents, centre de ressources communautaires ou groupes de soutien) dans un contexte de séparation.

Dans ses deuxième et troisième rapports d'étape, le Comité de suivi sur l'implantation de la médiation familiale, qui est chargé de vérifier le degré d'atteinte des objectifs qui sont à la base de la loi, recommande de mettre en place des séminaires sur la parentalité après la rupture. En effet, dans son troisième rapport, le Comité recommande « que la séance d'information de groupe actuelle soit transformée en un séminaire sur la parentalité après la rupture [...]. La séance sera donnée par deux médiateurs accrédités qui ont complété leurs engagements, l'un du domaine psychosocial et l'autre du domaine juridique[8] ». Le comité recommande également « que le ministère de la Justice rende disponible régulièrement les séminaires sur la parentalité après la rupture sur tout le territoire québécois, par tous moyens de communication (Internet, cd-rom, visioconférence, etc.)[9]. »

Les recommandations du Comité de suivi sont appliquées à Montréal et à Québec depuis décembre 2009 et à Granby depuis le printemps 2011. La séance a lieu à Montréal et est retransmise dans les deux autres villes. Cette initiative du ministère de la Justice du Québec, qui s'appelle maintenant « Séance sur la parentalité après la rupture », comporte un volet sur les aspects psychosociaux de la rupture et un autre sur la médiation familiale. Cette dernière comporte quelques renseignements juridiques. La séance est coanimée par deux médiateurs familiaux accrédités, issus du domaine psychosocial et du domaine juridique. L'objectif ultime est qu'elle soit accessible dans les différents palais de justice du Québec où siège la Cour supérieure.

Le projet pilote du ministère a fait l'objet d'une étude et les résultats seront connus en 2012.

Notes

1. Voir le chapitre 5 sur la coparentalité rédigé par notre collègue Richard Cloutier.
2. Notez que ces séminaires existent encore au Centre jeunesse de Montréal sous la même forme mais avec d'autres animateurs.
3. Bacon, B. et B. McKenzie. *Les meilleures pratiques dans le domaine des programmes d'information et d'éducation pour les parents touchés par la séparation et le divorce.* Groupe de recherche des Services à l'enfant et à la famille, Faculté de travail social, Université du Manitoba, Winnipeg, 2001.
4. Voir le chapitre 1 sur le choc psychologique de la séparation.
5. Wallerstein, J.S. « The longterm impact of divorce on children : A first report from a 25-Year Study ». *Family and Conciliation Courts Review* 1998 36(3) : 371.
6. Comité mixte spécial sur la garde et le droit de visite des enfants. « Pour l'amour des enfants ». Ottawa, 1998.
7. Institut Vanier de la famille. « La famille compte - Profil des familles canadiennes ». Ottawa, 2010.
8. Comité de suivi sur l'implantation de la médiation familiale. Troisième rapport d'étape présenté au ministre de la Justice et Procureur général, Monsieur Jacques P. Dupuis, le 25 avril 2008.
9. *Ibid.*

CHAPITRE 8

L'importance de la paternité pour le père et pour l'enfant

par Richard Cloutier et Lorraine Filion

Le chapitre qui suit porte sur la paternité selon deux points de vue : celui du père, dans sa vie d'homme, et celui de l'enfant qui se développe dans sa famille.

PREMIÈRE PARTIE
L'IMPORTANCE DE LA PATERNITÉ DANS LA VIE DU PÈRE

Dans un pays où les donneurs de sperme sont encore anonymes, inutile de dire que la place du père auprès des enfants qu'il engendre peut varier ; il y a paternité et paternité… L'engagement de l'homme dans son rôle de père est néanmoins toujours lié au sens qu'il donne au lien de filiation. Si le géniteur ne prend pas conscience que son apport est aussi important que celui de la mère dans le bagage génétique de l'enfant qu'il conçoit, s'il ne se sent concerné ni par la contraception, ni par la naissance, ni par le futur du petit, il ne sera pas vraiment un père. La paternité passe par la mentalisation du sens du lien de filiation, c'est-à-dire que l'homme doit saisir que son enfant est une partie de lui-même, qu'il fait partie de son identité, de son projet de vie, de sa continuité et qu'il le sera pour toujours. Chez les jeunes pères, cette prise de conscience n'est pas nécessairement spontanée et doit être soutenue par le milieu. Le nouveau père doit avoir le sentiment qu'on lui reconnaît une place importante dans les soins à l'enfant et que sa contribution est unique parce qu'il s'agit justement de « son enfant ». La venue d'un premier enfant transforme profondément la vie d'un couple : son quotidien se reconfigure complètement autour du petit. La façon dont cette transition est vécue influence de façon durable le partage des rôles parentaux. Dans la hiérarchie des rôles de conjoint, d'employé, de fils, de partenaire de sport, etc., le rôle de père doit obtenir une place de choix. Lorsque l'arrivée d'un enfant est perçue comme une privation imposée de l'extérieur et non comme un défi personnel stimulant et gratifiant, la motivation d'être un bon père risque de ne pas être au rendez-vous.

Ainsi, on peut difficilement s'attendre à ce qu'un jeune homme développe une attitude positive d'engagement dans son comportement quotidien de père s'il ne comprend pas le sens de ce rôle dans sa vie et dans celle de son enfant et s'il n'entend pas autour de lui : « Vas-y, bravo, tu es capable ! ». Au moment de la venue de son premier enfant, si le nouveau père ne prend pas conscience de l'importance de sa contribution pour l'équilibre de sa famille ou s'il entend le message contraire autour de lui, le projet d'enfant ne sera pas vraiment le sien et cette « non-implication » risque de se répéter lors des naissances ultérieures. Son enfant, sa conjointe et lui-même risquent d'être affectés par ce désengagement.

Un géniteur ne devient pas automatiquement un père, il a besoin d'être préparé, d'être « couvé » minimalement par le milieu. Une fois impliqué, toutefois, l'homme devenu père risque de le rester, car son rôle familial fait partie de son identité, de son projet de vie. Ses contributions comme pourvoyeur, mais aussi comme éducateur, soutien émotionnel, modèle masculin et partenaire de bon temps de l'enfant viennent ajouter à son sentiment de compétence personnelle et en font un coparent à part entière avec la mère[1].

La vision traditionnelle doit être dépassée

Dans l'optique traditionnelle, la relation parentale typique est celle que la mère entretient avec son enfant. La grossesse et l'allaitement favorisent un profond attachement entre la mère et son bébé. Le plus souvent, c'est elle qui s'occupe aussi du bébé par la suite et le milieu considère généralement ce partage des responsabilités comme « naturel ». La fonction biologique de départ défavorise ainsi le père dans les soins à l'enfant, ce qui explique la proximité de la mère et la distance du père par rapport aux enfants dans l'histoire humaine. Ce raisonnement constitue le fondement de ce qu'on appelle « l'hypothèse de l'âge tendre », selon laquelle la mère est mieux à même de prendre soin des enfants que le père, surtout quand ils sont en bas âge. Le père est plus « naturellement » destiné à agir comme pourvoyeur et à s'impliquer à l'extérieur de l'espace domestique. Cette vision traditionnelle, encore bien ancrée, continue d'influencer les décisions de partage des responsabilités et débouche souvent sur une garde exclusive à la mère.

Cette conception est cependant remise en question. Dans la société actuelle, où la mère occupe typiquement un emploi à l'extérieur du foyer, force est de reconnaître que les soins aux enfants doivent nécessairement impliquer d'autres personnes qu'elle. S'il est vrai que la mère porte toujours les petits et peut les allaiter par la suite, la recherche scientifique a démontré que les pères étaient tout à fait capables de prendre soin des enfants. L'attachement père-enfant est non seulement possible, mais souhaitable, notamment en raison des nombreux bénéfices en matière de soutien à l'enfant et à la mère[2].

La recherche a ainsi démontré que l'absence du père désavantage les enfants de diverses façons :

1) Sans le père, il n'y a pas de « coparent » dans la famille et la mère est seule pour assumer toutes les responsabilités ;
2) La monoparentalité matricentrique s'accompagne souvent d'un appauvrissement économique de la famille ;
3) L'isolement et la stigmatisation sociale des mères monoparentales peuvent favoriser la détresse psychologique et l'inadaptation chez les enfants ;
4) Le sentiment d'avoir été abandonné par le père peut provoquer de la détresse chez les enfants ;

5) Les conflits entre les parents séparés peuvent avoir des effets négatifs sur le bien-être et le comportement des enfants. Ceci étant dit, l'implication des pères auprès des enfants dans les familles biparentales a connu une augmentation, ce qui n'est évidemment pas sans lien avec l'implication accrue des mères sur le marché du travail[3].

Comme nous l'affirmons à plusieurs reprises dans cet ouvrage, la famille a connu une évolution très rapide au cours des dernières décennies. La composition, les rôles parentaux et domestiques, le rapport aux institutions, tout cela s'est transformé à un point tel que l'univers intime dans lequel l'enfant se développe ne ressemble plus du tout à celui dans lequel ses grands-parents ont grandi. La participation sociale des femmes s'est radicalement transformée et leur entrée massive sur le marché du travail fait partie des changements majeurs qui ont bouleversé la vie familiale au XXe siècle. Comme l'indique le tableau 8.1, 64 % des mères d'enfants de 0 à 3 ans occupaient un emploi en 2009 au Canada alors qu'elles n'étaient que 28 % en 1976[4]. Cette réalité a non seulement fait émerger des besoins importants en termes de services de garde, mais elle a également exigé un nouvel équilibre dans la conciliation travail-famille des parents et dans le partage des tâches domestiques. La conception traditionnelle des rôles parentaux est forcément remise en question et les pères sont appelés à s'impliquer davantage.

Tableau 8.1
Séparation et implication croissante du père : une tendance forte

Année	Enfants de moins de 3 ans	Enfants de 3 à 5 ans	Enfants de moins de 6 ans	Enfants de 6 à 15 ans	Enfants de moins de 16 ans	Femmes de moins de 55 ans sans enfants à la maison
	Pourcentage					
1976	27,6	36,8	31,4	46,4	39,1	60,9
1981	39,3	46,7	42,1	56,2	49,3	66,0
1986	49,4	54,5	51,4	61,9	56,7	69,3
1991	54,4	60,1	56,5	69,0	62,8	72,6
1996	57,8	60,5	58,9	69,8	64,5	72,4
2001	61,3	67,0	63,7	75,3	70,1	76,8
2006	64,3	69,4	66,4	78,2	72,9	79,9
2007	65,1	72,6	68,1	79,4	74,3	80,9
2008	64,6	70,3	66,8	80,0	73,8	81,2
2009	64,4	69,7	66,5	78,5	72,9	80,4

Source : Statistique Canada, *Enquête sur la population active.*
http://statcan.gc.ca/pub/89-503-x/2010001/article/11387/tbl/tbl006-fra.htm

Séparation et implication croissante du père : une tendance forte

Si les mentalités évoluent, la mère se voit encore le plus souvent confier la charge principale des enfants après la séparation (toutes formules considérées, 78 % en 2006 au

Québec; le père obtient le plus souvent un droit de visite assorti de l'obligation de fournir une pension alimentaire établie sur la base de ses revenus[5]). Comme l'indiquent les données du tableau 8.2, la proportion de familles avec enfants ayant un père seul à leur tête est passée de 3,9 % à 6,1 % entre 1991 et 2006. S'il s'agit là d'un changement significatif, ce chiffre est encore bien en deçà des 21,7 % de mères seules en 2006.

Tableau 8.2
Répartition en nombre et en pourcentage des familles avec enfants de tous âges au Québec selon le type de famille

Type de famille[1]	1991		1996		2001		2006	
	Nombre	%	Nombre	%	Nombre	%	Nombre	%
Familles avec enfants de tous âges	1 241 175	100	1 266 525	100	1 267 820	100,0	1 267 715	100
Familles biparentales	972 290	78,3	977 085	75,9	932 220	73,5	914 885	72,2
Couples mariés	838 375	67,5	767 855	59,7	670 255	52,9	601 040	47,4
Couples en union libre	133 915	10,8	209 230	16,3	261 970	20,7	313 850	24,8
Familles monoparentales	68 880	21,7	309 440	24,1	335 595	26,5	352 825	27,8
Pères seuls	48 760	3,9	56 920	4,4	68 025	5,4	77 935	6,1
Mères seules	220 125	17,7	252 520	19,6	267 570	21,1	274 890	21,7

Sources : Ministère de la Famille et de l'Enfance, Conseil de la famille et de l'enfance et Bureau de la statistique du Québec. *Un portrait des familles et des enfants au Québec, 1999, à partir des données de Statistique Canada* (pour 1991 et 1996).

Statistique Canada, *Recensement du Canada de 2001*, compilation effectuée par le MFACF à partir des données du tableau 2 de la commande spéciale CO-0700 (pour 2001).

Statistique Canada, *Recensement du Canada de 2006*, compilation effectuée par le MFA à partir des données du tableau B2 de la commande spéciale CO-0985 (pour 2006).

Même si les changements dans les pratiques d'attribution de garde sont perçus comme lents par certains, la garde physique partagée a tout de même gagné en popularité au cours des dernières décennies. Au Canada, on observe que l'attribution légale de la garde conjointe est passée de 14 % à 37 % entre 1990 et 2000[6]. S'il s'agit d'un changement important dans la perspective légale, celui-ci doit cependant être interprété en gardant à l'esprit qu'un grand nombre de parents se séparent et adoptent une formule de garde sans passer par les tribunaux et que l'attribution légale de la garde conjointe ne se traduit pas nécessairement par une garde partagée pour l'enfant[7]. La figure A, basée sur les données de 2004 de l'*Enquête longitudinale nationale sur les enfants et les jeunes*, traduit mieux la réalité empirique au Canada. On y observe que 12 % des enfants de 4 à 15 ans ayant vécu une séparation dans les deux années précédentes vivent une garde partagée, tandis que 63 % vivent avec leur mère et 7 % avec leur père. Fait à noter, l'enquête montre que 13 % des parents séparés sont revenus ensemble au cours de la période de deux ans considérée.

Aux États-Unis, on observe aussi le maintien de la prévalence de l'arrangement selon lequel la mère obtient la garde de l'enfant, qui voit son père un week-end sur deux[8]. Plusieurs recherches ont pourtant montré que cette formule n'était pas favorable au maintien d'une relation père-enfant chaleureuse et positive. En effet, les études tendent à montrer que les enfants qui voient leur parent non gardien un week-end sur deux se sentent moins

Figure A

Modalités d'habitation et contacts avec les parents dans le cas des enfants qui étaient âgés de 4 à 15 ans au cycle 3 et dont les parents s'étaient séparés au cours des deux années précédentes

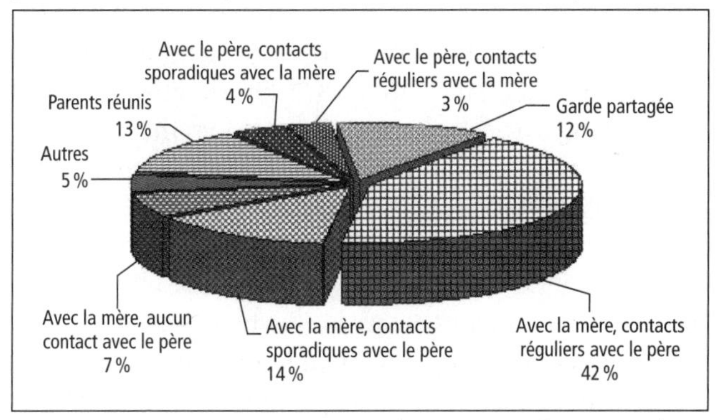

Source : Justice Canada. *Quand les parents se séparent : nouveaux résultats de l'Enquête longitudinale nationale sur les enfants et les jeunes.* Rapport de recherche. Ottawa, ministère de la Justice du Canada. Série Soutien des familles, 2005. http://www.justice.gc.ca/fra/pi/fea-fcy/bib-lib/rap-rep/2005/2004_6/f4_1.html

proches de lui et ressentent plus de peine par rapport au divorce que ceux qui ont plus de contacts avec leur parent non gardien. Appliqué tel quel, cet arrangement de garde (c'est-à-dire : garde à la mère et visite au père une fin de semaine sur deux plus une partie des vacances) n'est pas nécessairement adapté aux besoins développementaux de l'enfant, à la disponibilité parentale et aux besoins changeants de la famille en tant que système[9]. La reconnaissance du fait que l'enfant a besoin de toutes les contributions matérielles, affectives et sociales que ses parents peuvent lui offrir a provoqué la recherche de plans de garde mieux adaptés aux réalités spécifiques des enfants, des parents et des familles. Si nous savons qu'il peut être nuisible de forcer l'enfant à garder contact avec ses deux parents dans des situations très conflictuelles, nous savons aussi que la préservation de l'attachement avec la mère et le père est un levier très important pour le développement de l'enfant. Or, cet attachement passe par du temps de contact réel, des activités mutuellement désirées et une communication soutenue entre parent et enfant. Comme nous l'avons mentionné au chapitre 2 consacré à la garde partagée, le maintien des liens et des rôles des deux parents n'exige pas nécessairement un partage égal du temps de garde. S'il arrive souvent, même dans les familles biparentales, qu'un parent passe plus de temps avec l'enfant, cela ne disqualifie pas nécessairement l'autre parent. Son influence et son soutien demeurent malgré tout significatifs pour l'enfant. La relation entre les ex-conjoints joue un rôle important dans la survie du lien entre l'enfant et « l'autre parent » : plus la relation entre eux est harmonieuse, plus celle de l'enfant avec ses deux parents a de chances de se poursuivre[10].

Le temps écoulé depuis la séparation semble influer sur la fréquence des contacts entre l'enfant et son parent non gardien, qui est généralement le père. La figure B, tirée de l'*Enquête longitudinale nationale sur les enfants et les jeunes* (3e cycle, 2004), montre que 28 % des enfants dont les parents se sont séparés au cours des deux années précédentes voient moins souvent leur parent non gardien que ce qui avait été prévu dans l'entente, contre 24 % qui le voient plus souvent que prévu. Cela signifie que les

Figure B
Répartition des enfants âgés de 4 à 15 ans en 1998-1999 et dont les parents s'étaient séparés au cours des deux années précédentes, selon la fréquence des contacts avec leur « autre parent » par rapport à la fréquence prévue

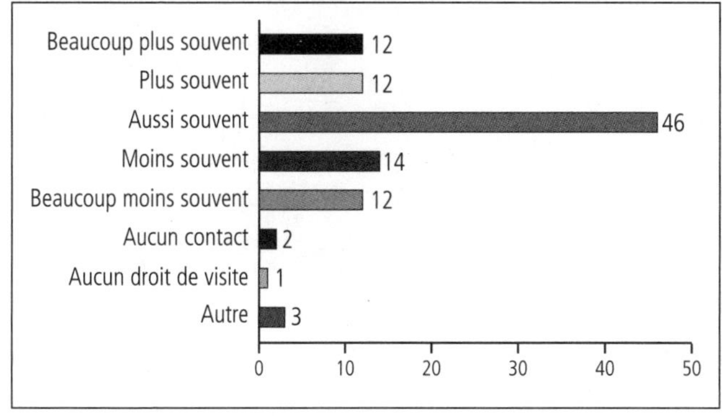

Source : http://www.justice.gc.ca/fra/pi/fea-fcy/bib-lib/rap-rep/2005/2004_6/f4_2.html

contacts avérés sont différents de ce qui avait été prévu au moment de la séparation dans 52 % des cas, et ce, dès les deux premières années suivant la rupture. À l'adolescence, les jeunes entretiennent encore moins de contacts avec leur parent non gardien. Les moyens financiers, la qualité du logement et la distance géographique du parent non gardien sont des facteurs qui peuvent aussi influencer le temps de contact. Ces données confirment qu'il est normal que les arrangements convenus au départ se transforment par la suite en fonction de l'évolution des besoins des acteurs familiaux. Au moment de l'adoption des arrangements post-rupture, une seule chose est certaine : les besoins des enfants et des parents sont appelés à changer au fil des ans[11].

Or, les changements observés après la séparation peuvent eux-mêmes évoluer. Par exemple, dans les années 1990, nos recherches nous ont amenés à constater que la garde partagée avait tendance à se transformer graduellement en garde exclusive (à la mère surtout) au fil des ans à la suite de la transition initiale. Plus récemment, une importante étude longitudinale américaine menée auprès de 790 familles séparées a démontré que la garde partagée était maintenant aussi stable que la garde exclusive à la mère. Les auteurs expliquent cette stabilité accrue de la garde conjointe par le fait que l'engagement des pères auprès de leurs enfants s'est renforcé au cours des dernières décennies et que cette formule de garde est maintenant considérée comme la plus avantageuse, non seulement par les pères mais aussi par les mères et les enfants[12].

Plus encore que la formule de garde comme telle, le temps de contact entre le père et l'enfant semble être le principal déterminant de la satisfaction de l'enfant à l'égard de la relation qu'il entretient avec son père. Fait à noter, les nuits passées par l'enfant au domicile de son père ont un impact positif sur la qualité de leur lien ; on attribue ce phénomène au fait que de « vivre ensemble » pendant un certain temps est plus fort que de simplement « se rendre visite ».

Évidemment, l'enfant en garde partagée passe plus de temps avec son père que celui dont la garde est confiée exclusivement à sa mère. Dans le cadre des différentes formules de garde (à la mère, au père ou partagée), toutefois, le temps de contact direct reste la variable la plus fortement corrélée avec la satisfaction à l'égard de la relation. Plusieurs études montrent par ailleurs que les pères qui pratiquent la garde partagée affichent de meilleurs indices de bien-être personnel ainsi qu'une plus grande satisfaction et moins de stress à l'égard de leur relation avec l'enfant que ceux qui ont la garde exclusive ou dont l'ex-conjointe a la garde exclusive. Les données montrent de plus en plus clairement que l'implication du père dans la garde des enfants après la séparation, lorsqu'elle est possible et viable, est associée à un plus grand bien-être du père, à une meilleure adaptation des enfants (filles et garçons) et à une relation père-enfant plus satisfaisante[13].

> « En somme, les enfants en garde partagée ont généralement des relations plus fortes et plus stables avec leurs pères comparativement aux enfants qui vivent avec leur mère et voient leur père régulièrement. Si la garde partagée présente également d'autres avantages documentés, on peut toutefois soutenir que la qualité et la stabilité de l'attachement père-enfant devraient être les principaux éléments à considérer dans le choix d'une formule de garde[14]. »

La volonté des pères ne suffit pas

La plupart des hommes qui ont des enfants voient leur rôle de père comme quelque chose de très important. Leur paternité figure non seulement en tête de liste de leurs principaux projets de vie, mais l'attachement à leurs enfants fait aussi partie de leur identité personnelle. Selon une étude qualitative québécoise menée auprès de 27 pères séparés, 20 d'entre eux considèrent comme « inconcevable, malgré les difficultés rencontrées, d'abandonner leurs enfants, car (a) ils les ont voulus et ils les aiment ; (b) ils sont convaincus qu'ils ont un rôle à jouer dans leur développement et (c) ils se sentent responsables de leur avenir[15] ».

La chercheuse californienne renommée Joan B. Kelly a fait une revue des études disponibles sur l'effet de la participation du père à la garde de l'enfant. Elle en a tiré les conclusions suivantes :

> « Dans l'ensemble, la littérature empirique démontre de nombreux avantages de l'implication du père dans une relation régulière, soutenante et chaleureuse avec son enfant, y compris un meilleur ajustement psychologique et scolaire. Cette implication passe par des contacts réguliers incluant des nuitées en période scolaire et de loisirs. En outre, les études montrent que la grande majorité des enfants veulent avoir plus de contacts avec leur parent non gardien que ce qui est généralement décidé par les parents ou par les tribunaux, et plusieurs préfèrent la garde physique partagée. Les enfants et les adolescents qui ont vécu la garde partagée sont généralement satisfaits, ils se sentent aimés, rapportent moins de sentiments de perte et ne considèrent pas toute leur vie à travers la lentille du divorce, comme

c'est souvent le cas de ceux qui ont vécu la garde exclusive à leur mère. Pour maintenir une relation significative et intime avec leur parent non gardien, les jeunes enfants attachés à leurs deux parents ont besoin de suffisamment de temps de contact avec lui sans séparations prolongées de plusieurs jours ou de plusieurs semaines. Lorsque les conflits entre les parents demeurent intenses après le divorce, les transitions fréquentes et les contacts soutenus avec les deux parents peuvent être préjudiciables pour les enfants si ceux-ci sont mêlés aux conflits. Dans de tels cas, il est préférable de chercher des arrangements et des interventions (ex. : médiation) qui permettront d'atténuer le conflit et ses répercussions sur les enfants au lieu de réduire les contacts avec l'un des parents[16]. »

Les obstacles à l'exercice de la paternité

Certes, le rôle du père est important et peut apporter une grande satisfaction. Ce rôle a cependant ses exigences et il ne peut certainement pas être pris à la légère dans le contexte des transitions familiales provoquées par les ruptures conjugales. L'engagement des pères auprès des enfants fait l'objet d'une valorisation croissante dans notre société et, lorsque cet engagement était réel avant la rupture, il est difficile pour les ex-conjoints d'entrevoir l'avenir sans son maintien sous une forme ou une autre. Malheureusement, une proportion encore importante d'enfants de parents séparés ne peuvent bénéficier de la pleine contribution de leur père. Il existe plusieurs obstacles à l'engagement paternel, notamment les conflits avec la mère, les traitements judiciaires défavorables au père, la faible implication antérieure du père auprès des enfants, le fait de ne pas avoir choisi et planifié la rupture, l'établissement d'une nouvelle relation conjugale (recomposition) défavorable au maintien des liens avec les enfants, la pauvreté ou le chômage (qui ne permettent pas au père de contribuer adéquatement au bien-être matériel des enfants), les problèmes de santé mentale et de dépendance et les démêlés avec la justice. Ainsi, s'il semble que la volonté du père de s'engager auprès de ses enfants soit un élément nécessaire, elle ne suffit pas toujours à assurer le maintien de la paternité après la rupture conjugale; il faut aussi disposer des aptitudes personnelles et relationnelles avec les enfants et des moyens concrets pour remplir ses obligations de parent de façon fiable et responsable[17].

Deuxième partie
L'importance de la paternité, perspective de l'enfant

Un père, est-ce important ?

Depuis les trois dernières décennies en particulier, on constate une présence accrue des pères : « les pères roses », comme certains les appellent. On les remarque au parc avec leurs jeunes enfants, le soir ou le matin à la garderie, lors des transitions à l'école, lors des réunions scolaires, chez le dentiste, le médecin, etc. Il s'agit d'un nouveau phénomène social.

Les préjugés sont encore tenaces :

- Les mères ne sont-elles pas plus importantes que les pères, surtout pour les jeunes enfants ?
- Les mères ne sont-elles pas plus affectueuses ?
- Les pères ne sont-ils pas trop centrés sur le jeu et le plaisir ?
- Les mères ne sont-elles pas les seules à pouvoir apporter l'affection et l'encadrement nécessaire et à assurer le suivi social, scolaire et médical de l'enfant ?

Cependant, on parle souvent de la fragilisation de la paternité et des manques dans la fonction du père séparé. On scrute le passé pour comprendre le présent.

Les pères absents devront déployer beaucoup d'efforts pour convaincre de leur capacité de changement et de leur réel désir de faire autrement après la rupture.

Combien de fois se contente-t-on de demander l'avis de la mère sur l'importance d'impliquer le père ou d'obtenir son avis ? Le père qui ne voit son enfant qu'un week-end sur deux n'est pas toujours impliqué dans le processus thérapeutique de son enfant et il arrive que la mère ne l'en informe pas. Cette absence de communication est malheureusement d'autant plus réelle s'il y a un conflit grave entre les deux parents.

Nous le constatons souvent lors de l'inscription d'un enfant au groupe Confidences. Certaines mères ayant la garde de leur enfant sont surprises que nous leur demandions d'aviser le père et d'obtenir son autorisation pour inscrire leur enfant. Les pères sont aussi étonnés de notre désir de les informer et de les impliquer dans ce processus d'aide pour leur enfant. Le plus souvent, la surprise fait place au consentement et à l'engagement des deux parents, ce qui est bénéfique pour l'enfant.

Influence spécifique du père sur le développement de l'enfant

Au cours des dernières années, le psychologue québécois Daniel Paquette[18] s'est illustré par ses travaux sur la théorie de l'attachement et ses recherches auprès des pères. Il a exposé que, contrairement à la relation d'attachement mère-enfant, qui permet d'apaiser l'enfant dans les moments de détresse, la relation père-enfant permet de répondre au besoin de l'enfant d'être activé et stimulé durant l'exploration. Dans une relation d'activation de qualité, l'enfant apprend à avoir confiance en ses propres capacités et à faire face aux menaces et à l'étrangeté de son environnement physique et social grâce à son père. Celui-ci l'incite en effet à aller plus loin dans son exploration (voire à prendre des risques) tout en lui faisant comprendre qu'il le protégera des dangers éventuels.

Spécifique ne veut pas dire exclusif, affirme le psychologue Paquette. En effet, on observe de plus en plus un chevauchement des rôles parentaux entre les pères et les mères dans les familles modernes. La spécificité doit être comprise comme la *prédominance* de certains rôles parentaux favorisant telle ou telle dimension du développement de l'enfant. On pourrait ainsi dire que les pères et les mères sont complémentaires.

Le lien père-enfant

Certains chercheurs ont comparé l'engagement maternel et paternel et ils ont constaté, comme nous l'avons évoqué, que les mères assument encore la plus grande partie des soins prodigués à l'enfant. On note toutefois que cette différence s'atténue à mesure que l'enfant grandit.

Puisqu'aucun parent ne peut à lui seul combler tous les besoins de son enfant et que chacun a des compétences et des caractéristiques propres à son rôle et à son sexe, la présence des deux parents peut permettre de combler les lacunes de l'un par les forces de l'autre, et vice-versa.

Jean Le Camus[19] s'est fait connaître en Europe pour avoir développé le concept de « différenciation parentale ». Il décrit les fonctions parentales comme étant : « la sécurisation affective comme étant maternelle et la protection et la stimulation comme étant paternelles[20] ».

Nous avons constaté ces différences lors de nos entretiens avec les enfants et leurs parents. Les pères entrent davantage en relation avec leurs enfants à travers le jeu, les sports, les défis. Les enfants perçoivent différemment leur père et leur mère. Ils font plus souvent appel aux mères pour combler leur besoin de protection et de réconfort, et aux pères lorsqu'ils cherchent un partenaire de jeu. Ceux-ci auraient davantage tendance à déstabiliser l'enfant et à l'inciter à repousser ses limites.

Pour illustrer nos propos, nous relaterons les leçons apprises des enfants fréquentant le groupe Confidences. Lors d'une session du groupe, nous invitons les enfants à inscrire au tableau ce qui différencie les pères des mères.

Nous avons animé plusieurs groupes et le constat est le même à chaque fois : les pères jouent plus avec les enfants et les poussent davantage au-delà de leurs limites alors que les mères sont plus souvent associées aux soins et à la protection des enfants.

Voici le résultat :

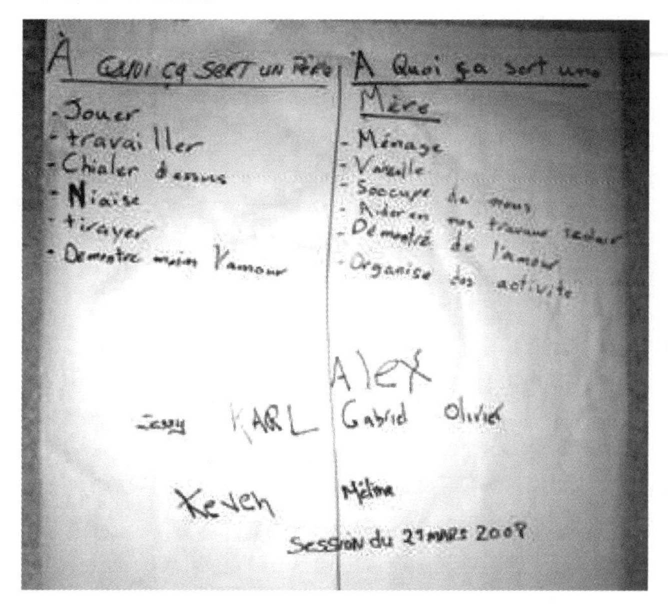

Amélie, 11 ans, résume bien la différence entre les pères et les mères :

« Je trouve que les mères ont toujours peur pour leurs enfants alors que les pères disent : Vas-y, t'es capable. »

Ce qui compte vraiment pour l'enfant

L'enfant crée des liens avec les gens qui prennent soin de lui sur une base régulière et récurrente. Il peut avoir plusieurs figures parentales significatives et s'en porter très bien si ces adultes se respectent et acceptent leurs différences. Si, au contraire, ces adultes se critiquent, se dénigrent sans cesse, l'utilisent comme messager, le privent de relations saines avec l'une ou l'autre de ces figures, l'enfant peut vivre une situation précaire.

- L'enfant n'accorde pas la même importance que ses parents à la propreté, aux heures des repas ou du coucher, à la nécessité de ranger sa chambre ou de faire ses devoirs tous les soirs de la semaine, etc.
- L'enfant est centré sur le plaisir, le jeu, l'action, le rêve, les évasions de l'esprit et du travail.
- L'enfant apprécie chaque minute qui passe si elle est agréable. S'il s'ennuie, il cherchera généralement un moyen pour combler son besoin par la lecture, le jeu, le dessin, le rire, le sommeil, la nourriture, la rêverie…
- L'enfant aime la vérité et il est curieux de nature. Il aime apprendre et vivre de nouvelles expériences.
- L'enfant a un fort souci d'équité. Il dira souvent qu'il voudrait passer le même nombre de jours avec papa et avec maman, et ce, même si ses parents n'ont pas envisagé une garde partagée.
- L'enfant est un médiateur naturel entre ses parents.

Entre autorité et tendresse, entre jeu et travail, on sait ce qu'il choisira. Or, l'enfant aime ses deux parents et a besoin des deux pour se développer. Dans ce contexte, il est important de trouver une formule adéquate et d'adopter des attitudes qui vont protéger le lien parental et l'image de chacun.

L'enfant voit son père avec une autre paire de lunettes que sa mère. Nous avons malheureusement rencontré des mères qui étaient incapables de trouver une seule qualité à leurs ex-conjoints comme pères.

Voici ce que raconte Émilie, 13 ans, qui vit en garde partagée :

« Ma mère est tellement fâchée contre mon père qu'elle parle tout le temps contre lui. Elle voudrait que je vive uniquement avec elle. Je trouve que mon père a beaucoup changé depuis un an. Il m'écoute plus, on fait des activités ensemble, il me fait rire et, surtout, il montre plus qu'il m'aime en respectant mes goûts pour le cinéma et la bouffe. »

Ce qui compte pour cette enfant, ce sont les actions du père et non les dires de la mère. Voici le dessin qu'elle a remis à ses parents lors d'une séance de médiation.

Elle leur a ainsi fait comprendre qu'elle avait le droit de prendre sa route et qu'elle en avait marre de leurs disputes. Les parents ont été surpris de son aplomb et de la justesse de son message. Quoiqu'ébranlés, ils se sont engagés à tenter de faire la paix et à respecter davantage sa demande.

« Mon papa est le meilleur du monde »

Certaines mères tentent de démolir l'image et la relation du père avec leur enfant. La perte du lien paternel peut pourtant avoir des conséquences dramatiques pour lui. Parfois, cette campagne de dénigrement peut aussi avoir l'effet contraire, c'est-à-dire créer une idéalisation du père, une alliance plus forte entre le père et l'enfant, voire un clivage. Toute la famille peut alors y perdre au change. La situation peut se retourner contre la mère si l'enfant manifeste sa volonté de passer plus de temps avec son père ou de vivre avec lui.

L'histoire de William

Les parents de William, 11 ans, sont séparés depuis 5 ans. Il est enfant unique et habite principalement avec sa mère. Les défauts de son père, il les connaît par cœur, nous dit-il, parce que sa mère y fait souvent référence.

Pendant la vie commune, son père n'était pas souvent à la maison. Il travaillait pour une organisation internationale et voyageait beaucoup. William a donc surtout grandi avec sa mère et il a maintenu le contact avec son père sur Internet, grâce à une webcam et à MSN. Son père venait parfois passer des week-ends à la maison, mais l'enfant ne passait pas beaucoup de temps avec lui.

Depuis la rupture, son père voyage moins qu'avant ; il fait des efforts pour passer deux fins de semaine par mois en compagnie de son fils. Ils se parlent presque tous les jours au téléphone ou sur Skype®. Les week-ends avec son père sont *cool*, dit-il : ils font du sport et jouent à des jeux de société. Durant leurs échanges sur Skype® pendant la semaine, son père l'aide dans ses devoirs de mathématiques et d'anglais, ce que William apprécie beaucoup.

William a tenté de faire part à sa mère de ses bons moments avec son père, mais elle s'est montrée peu réceptive : « Tu verras, ça ne durera pas. Il n'est pas fiable. Tu seras bien déçu de ton père… » William a compris qu'il n'arriverait pas à convaincre sa mère des changements opérés chez son père. Il s'est tu et a décidé de n'en parler qu'à ses amis.

William a fréquenté le groupe Confidences. Voici le dessin qu'il avait préparé pour son père et qui a été présenté lors de la rencontre parents-enfants. La mère, bouleversée par ce témoignage d'amour filial, a quitté la salle précipitamment. Nous l'avons trouvée en larmes dans le corridor à la fin de l'atelier. Elle est repartie en silence avec son fils. Ce silence pesait lourd et en disait long sur leur souffrance réciproque.

Deux ans plus tard, nous avons croisé William et ses parents dans la salle d'attente du Service de médiation le jour de la remise de leur entente par le médiateur.

Nous avons appris que la relation entre la mère et l'enfant s'était peu à peu détériorée et que William avait fait une fugue le jour de ses 13 ans pour aller vivre chez son père. La mère avait demandé l'aide d'un médiateur pour récupérer son fils, mais en vain. « Je suis chez mon père, nous a dit William, et je vais y rester. » La mère pleurait en silence et le père nous a semblé triste aussi.

En résumé

- La paternité est en tête de liste des projets de vie de l'homme ; à travers ce rôle fondateur se créent des liens d'attachement qui structurent l'identité d'une génération à l'autre.
- Le rôle de père est en repositionnement rapide à cause de la nouvelle place accordée aux femmes dans la société, mais aussi à la suite d'une prise de conscience de l'importance des contacts avec le père dans le développement de l'enfant.
- S'il est de plus en plus incontestable que les pères désirent s'engager activement auprès de leurs enfants au-delà des ruptures familiales, les conditions pour y parvenir ne sont pas toujours réunies.
- Si la valeur du lien père-enfant est de plus en plus reconnue par la société, il reste cependant du chemin à faire, notamment auprès des milieux masculins qui peinent à dépasser la vision traditionnelle des rôles masculins.

- L'enfant a besoin de son père, notamment pour socialiser et développer son autonomie et sa confiance en lui.
- L'enfant peut apprécier les qualités de son père, et ce, même si la mère ne les reconnaît pas ; attention de ne pas reporter vos frustrations d'ex-conjointe sur la relation père-enfant ; l'enfant a un autre regard sur son père.
- Le lien entre le père et l'enfant se crée à travers les actions, les gestes accomplis et les activités qu'ils font ensemble.
- Un père peut changer après la rupture et l'enfant peut en tirer de grands bénéfices.
- Le père favorise la débrouillardise de l'enfant, enrichit son langage, le stimule et l'aide à s'adapter à la nouveauté.
- Le père n'a pas à imiter la mère pour être un bon parent.
- Les deux parents sont aussi importants l'un que l'autre pour l'enfant parce qu'ils sont complémentaires dans leur rôle et leurs compétences spécifiques.
- L'enfant trace sa propre route en fonction de ses besoins personnels.
- Les paternités et les maternités du XXIe siècle sont très diversifiées et beaucoup plus complexes qu'avant. Certains pères sont à la fois pourvoyeurs et disponibles affectivement alors que certaines mères sont très engagées dans leur carrière et moins disponibles

pour leurs enfants, et vice-versa. Ces parents sont en train d'inventer la parentalité contemporaine en tant que laboratoire d'expériences humaines.

Notes

1. NICHOLSON, J.S., K.S. HOWARD et J.G. BORKOWSKI. « Mental Models for Parenting : Correlates of Metaparenting among Fathers of Young Children ». *Fathering* 2008 6 : 39-61 ; PALKOVITZ, R. et G. PALM. « Transitions within fathering ». *Fathering* 2009 7 : 3-22 ; PARENT, C., S. DRAPEAU, M. BROUSSEAU et E. POULIOT. *Visages multiples de la parentalité.* Québec, Presses de l'Université du Québec, 2008.
2. DUBEAU, D., A. DEVAULT et G. FORGET. *La paternité au XXIe siècle.* Québec, Presses de l'Université Laval, 2009 ; DUMONT, C. et D. PAQUETTE. « Attachement père-enfant et engagement paternel : deux concepts centraux du développement de l'enfant ». *Revue de psychoéducation* 2008 37 : 27-46 ; LAMB, M.E. *The role of the father in child development.* Hoboken, New Jersey, John Wiley and Sons, 1997 ; Paquette, D. « La relation père-enfant et l'ouverture au monde ». *Enfance* 2004 2 : 205-225.
3. CABRERA, N.J., C.S. RAMIS-LEMONDA, R.H. BRADLEY, S. HOFFERTH et M.E. LAMB. « Fatherhood in the Twenty-First Century ». *Child Development* 2000 71 : 127-136.
4. STATISTIQUE CANADA. *Taux d'emploi des femmes ayant des enfants, selon l'âge du plus jeune enfant, 1976 à 2009.* 2011. http://www.statcan.gc.ca/pub/89-503-x/2010001/article/11387/tbl/tbl006-fra.htm
5. MINISTÈRE DE LA FAMILLE ET DES AÎNÉS. *Un portrait statistique des familles au Québec.* P. 130 ; QUÉNIART, A. et N. ROUSSEAU. « L'exercice de la paternité à la suite d'un divorce : un parcours semé d'obstacles ». Dans M.-C. SAINT-JACQUES, D. TURCOTTE, S. DRAPEAU et R. CLOUTIER (dir.). *Séparation, monoparentalité et recomposition familiale.* Québec, Presses de l'Université Laval, 2004.
6. JUBY, H., J.-M. BILLETTE et C. LEBOURDAIS. « Nonresident Fathers and Children ». *Journal of Family Issues* 2007 28 : 1220-1245.
7. CASTELLI, M.D. et D. GOUBAU. *Le droit de la famille.* Québec, Presses de l'Université Laval, 2005.
8. SIGEL, A., I. SANDLER, S. WOLCHIK et S. BRAVER, S. « Do parent education programs promote healthy postdivorce parenting? Critical distinctions

and a review of the evidence ». *Family Court Review* 2011 49 : 120-139 ; Cashmore, J., P. Parkinson et A. Taylor. « Overnight stays and children's relationships with resident and non-resident parents after divorce ». *Journal of Family Issues* 2008 29 : 707-733.

9. Kelly, J.B. « Developing beneficial parenting plan models for children following separation and divorce ». *Journal of the American Academy of Matrimonial Law* 2005 19 : 237-257 ; Kelly, J.B. « Children's living arrangements following separation and divorce : Insights from empirical and clinical research ». *Family Process* 2007 46 : 35-52.

10. Ahrons, C.R. et R.B. Miller. « The effect of the postdivorce relationship on paternal involvement : A longitudinal analysis ». *American Journal of Orthopsychiatry* 1993 63 : 441-450 ; Beaudry, M., A. Beaudoin, R. Cloutier et J.-M. Boisvert. « Étude sur les caractéristiques associées au partage des responsabilités parentales à la suite d'une séparation ». *Revue canadienne de service social* 1993 10 : 9-26 ; Bouchard, G., C.M. Lee, V. Asgary et L. Pelletier. « Fathers' Motivation for Involvement with Their Children : A Self-Determination Theory Perspective ». *Fathering* 2007 5 : 25-41.

11. Cloutier, R. *Évolution de la garde et de l'ajustement de l'enfant après la séparation parentale.* Québec, Centre de recherche sur les services communautaires, 1995 ; Cloutier, R., M. Beaudry, S. Drapeau, C. Samson, G. Mireault, M. Simard *et al.* « Changements familiaux et continuité : une approche théorique de l'adaptation aux transformations familiales ». Dans G.M. Tarabulsy et R. Tessier (dir.). *Enfance et famille : contextes et développement.* Québec, Presses de l'Université du Québec, 1997, pp. 28-56 ; Côté, D. « D'une pratique contre-culturelle à l'idéal-type : la garde partagée comme phénomène social ». *Revue québécoise de psychologie* 2006 27 : 13-32 ; Kelly, J.B. « Developing beneficial parenting plan models for children following separation and divorce ». *Journal of the American Academy of Matrimonial Law* 2005 19 : 237-257 ; Kelly, J.B. « Children's living arrangements following separation and divorce : Insights from empirical and clinical research ». *Family Process* 2007 46 : 35-52 ; Dulac, G. « Rupture d'union et déconstruction du lien père-enfant ». PRISME 1995 5 : 300-312 ; LeBourdais, C., J. Heather et N. Marcil-Gratton. « Keeping in touch with children after separation : The point of view of fathers ». *Canadian Journal of Community Mental Health* 2002 4 : 109-130.

12. Berger, L., P. Brown, E. Joung, M. Melli et L. Wimer. « Stability of child physical placements after divorce ». *Marriage and Family* 2008 70 : 273–283 ; Cloutier, R. et C. Jacques, C. « Evolution of residential custody arrangements in separated families : A longitudinal study ».

Journal of Divorce and Remarriage 1997 28: 17-33; PEARSON, J. et N. THOENNES. « Custody after divorce: Demographic and attitudinal patterns ». *American Journal of Orthopsychiatry* 1990 60: 233-249.

13. FABRICIUS, W., S. BRAVER, P. DIAZ et C. SCHENCK. « Custody and parenting time ». Dans M.E. Lamb (dir.). *The role of the father in child development.* New York, John Wiley and Sons, 2010, pp. 201-241.

14. NIELSEN, L. « Shared parenting after divorce: A review of shared residential parenting research ». *Journal of Divorce and Remarriage.* 2011 52: 586–609, p. 605. Traduit par nos soins.

15. GAUDET, J. et A. DEVAULT. « Quelles sont les conditions associées à une bonne adaptation au rôle paternel post-rupture ? Parcours paternels et points de vue de pères ». *Revue canadienne de santé mentale communautaire* 2006 25: 17-32, p. 26.

16. KELLY, J.B. « Children's living arrangements following separation and divorce: Insights from empirical and clinical research ». *Family Process* 2007 46: 35-52, pp. 46-47. Traduit par nos soins.

17. CABRERA, N.J., C.S. RAMIS-LEMONDA, R.H. BRADLEY, S. HOFFERTH et M.E. LAMB. « Fatherhood in the Twenty-First Century ». Child Development 2000 71: 127-136; CÔTÉ, D. « D'une pratique contre-culturelle à l'idéal-type: la garde partagée comme phénomène social ». *Revue québécoise de psychologie* 2006 27: 13-32; DULAC, G. « Rupture d'union et déconstruction du lien père-enfant ». PRISME 1995 5: 300-312; GAUDET, J., A. DEVAULT et C. BOUCHARD. « Le maintien de l'exercice du rôle paternel après une rupture conjugale: obstacles et facilitateurs ». *Revue de psychoéducation* 2005 34(1): 21-40; Juby, H., J.-M. BILLETTE et C. LEBOURDAIS. « Nonresident Fathers and Children ». *Journal of Family Issues* 2007 28: 1220-1245; SIGEL, A., I. SANDLER, S. WOLCHIK et S. BRAVER. « Do parent education programs promote healthy postdivorce parenting? Critical distinctions and a review of the evidence ». *Family Court Review* 2011 49: 120-139.

18. PAQUETTE, D. « Les pères n'ont pas à imiter les mères ». *Journal Forum*, Université de Montréal, 29 mars 2010; PAQUETTE, D., D. DUBEAU et A. DEVAULT.« L'engagement paternel, un concept aux multiples facettes ». Dans D. DUBEAU, A. DEVAULT et G. FORGET. *La paternité au XXIe siècle.* Les Presses de l'Université Laval, 2009; PAQUETTE, D. « Perspectives nouvelles sur l'attachement à partir d'études sur les problèmes extériorisés des enfants ». *Revue de psychoéducation* 2007 36: 279-288.

19. LE CAMUS, Jean. *Le vrai rôle du père.* Paris, Odile Jacob, 2000.

20. *Ibid.*

CHAPITRE 9

L'aliénation parentale

par Richard Cloutier

La séparation parentale constitue probablement l'une des transitions les plus difficiles que puisse vivre une famille. Comme la présence de conflits entre les ex-conjoints est fréquente lors de la transition, l'image de l'autre véhiculée par chaque parent peut facilement être déformée[1]. Sachant que les enfants sont ce que les parents ont de plus précieux au monde, on peut comprendre que le partage de leur amour avec l'ex-conjoint ne se fasse pas toujours de gaieté de cœur et que le désir de garder l'enfant pour soi puisse être présent, consciemment ou non. L'enfant peut ainsi entendre toutes sortes de choses :

- « Ton père ne prend jamais ses responsabilités, il n'est pas censé te faire garder lors des visites, même par sa mère… » ;
- « Comme d'habitude, elle va te dire qu'elle n'a pas d'argent pour te l'acheter… » ;
- « Tu ne peux pas te fier à ta mère, elle change d'avis constamment et elle va peut-être encore trouver une raison pour annuler le voyage » ;
- « Ton père ne s'est jamais occupé de toi, alors je ne vois pas pourquoi ça changerait du jour au lendemain » ;

- « Tu sais, ta mère ne voulait pas d'enfant... » ;
- « Les enfants ne sont pas obligés d'aller chez leur père ; si cela ne te tente pas cette fois-ci, tu n'as qu'à ne pas y aller... » ;
- « Si jamais ton père te touche, tu me téléphones tout de suite... » ;
- « Ne te fie pas à ce qu'il dit, j'ai toujours été ton seul vrai parent. »

Ce genre de commentaires, surtout s'ils sont fréquents, ébranlent la confiance de l'enfant envers le parent discrédité : ils créent de la confusion à l'égard de la position à prendre et de ses attachements. L'enfant ne peut qu'en souffrir. S'il est difficile de concevoir que des ex-conjoints ne se laissent jamais aller à dénigrer « l'autre qui leur a fait mal », il est clair que le maintien de l'enfant dans une atmosphère de dénigrement de l'une des personnes les plus importantes dans sa vie constitue une forme d'abus à son endroit. Lorsqu'elles sont fortes et constantes, ces pressions pour détourner l'enfant de l'un de ses parents relèvent de l'aliénation parentale.

L'aliénation parentale, un concept controversé

La notion d'aliénation parentale ne se retrouve pas seulement dans l'univers intrafamilial : elle est aussi présente sur la scène publique, dans les représentations des groupes de pression masculinistes ou féministes. La citation suivante l'illustre bien :

> « Comme de nombreuses questions relevant du droit de la famille, l'aliénation parentale fait l'objet de plusieurs discours polarisés et fortement liés au genre. Certains activistes pour les droits des hommes prétendent que des mères aliènent leur enfant de leur père pour se venger de la séparation et que certaines font de fausses allégations d'abus. Ces groupes affirment en outre que les tribunaux ont généralement un parti pris contre les pères en matière de garde des enfants et particulièrement en matière d'aliénation parentale. Certains groupes féministes prétendent que la plupart, sinon toutes les allégations d'aliénation parentale sont fabriquées de toutes pièces par des mâles violents envers leur partenaire, souvent des pères abusifs, dans le but de contrôler la mère victime et de maintenir le contact avec les enfants qui, avec raison, résistent ou refusent de les voir. Il s'agit dans ce cas d'un mécanisme d'adaptation sain et adapté aux circonstances[2]. »

Ce type de position extrême et sans nuance révèle une polarisation analogue à celle qu'on retrouve chez les individus aveuglés par le conflit en contexte de rupture. Dans les cas avérés d'aliénation parentale, le rejet en bloc du parent, qu'on décrit comme entièrement mauvais, cadre mal avec les nuances de la réalité. Si la polarisation extrême et la distorsion du tableau sont elles-mêmes des indices d'invraisemblance, les acteurs en cause semblent parfois l'ignorer. La réalité se déploie selon un continuum, mais elle est traitée comme une dichotomie : tout est blanc ou noir.

Malgré cette polarisation typique, il n'est pas facile de distinguer avec certitude les cas d'aliénation parentale des situations de conflit dites « normales » et il n'existe pas encore de statistiques fiables sur la prévalence du phénomène. Même dans les situations hautement conflictuelles où un parent dénigre l'autre devant l'enfant, celui-ci continue généralement de désirer le contact avec ses deux parents. Par ailleurs, les enfants qui vivent de l'aliénation parentale ne rejettent pas tous le parent victime[3]. Il faut aussi savoir que le rejet d'un parent par l'enfant peut être associé à d'autres causes. Il arrive que des jeunes, à l'adolescence par exemple, rejettent un parent sans qu'il y ait d'aliénation parentale. Certains enfants peuvent aussi réagir à la séparation conflictuelle de leurs parents en excluant le parent non gardien dans le but de faire cesser la guerre familiale. Dans d'autres cas, le comportement abusif ou irresponsable d'un parent justifie son rejet par l'enfant. Il arrive aussi que les comportements répétés de dénigrement d'un parent à l'égard de l'autre coexistent avec d'autres facteurs (réaction au conflit entre les parents, crise identitaire du jeune, conduite du parent rejeté, etc.)[4].

Attention aux définitions

Les quelques lignes qui précèdent montrent bien que la notion d'aliénation parentale n'est pas une affaire de tout ou rien et qu'elle peut être influencée par plusieurs facteurs.

L'histoire de cette notion a elle-même été marquée par la controverse : s'agit-il d'un désordre psychique de l'enfant ou d'une dynamique familiale dysfonctionnelle ? En 1985, le pédopsychiatre américain Richard Gardner a défini le *syndrome d'aliénation parentale* comme :

> « Un désordre qui survient presque exclusivement dans le contexte de disputes sur la garde de l'enfant. Sa manifestation principale est la campagne de dénigrement injustifiée que fait l'enfant contre l'un de ses parents. Il s'agit là du résultat de l'action combinée de l'endoctrinement de l'enfant par un parent (lavage de cerveau), d'une part, et de la contribution de l'enfant lui-même au dénigrement du parent-cible, d'autre part. Lorsqu'il y a réellement de l'abus ou de la négligence parentale à l'endroit de l'enfant, cette animosité de la part de l'enfant peut être justifiée, et l'explication de l'hostilité de l'enfant par le syndrome d'aliénation parentale ne s'applique pas[5]. »

La proposition de Gardner selon laquelle il s'agit d'un désordre psychique ou d'une psychopathologie de l'enfant a fait l'objet de nombreuses contestations et cette polémique a peut-être contribué à embrouiller le tableau[6]. À ce jour, des institutions comme l'American Psychological Association ou l'American Psychiatric Association n'ont pas retenu la proposition de diagnostic chez l'enfant parce que le soutien empirique disponible 25 ans après la proposition initiale de Gardner n'est toujours pas jugé suffisant. Cependant, on s'accorde généralement sur le fait qu'il arrive qu'un enfant rejette l'un de ses parents de façon injustifiée lors de conflits sur la garde après la séparation et que l'autre parent contribue activement à ce rejet en exerçant des pressions indues sur l'enfant. Même si la proposition de Gardner n'a pas été retenue, elle a permis de susciter la réflexion sur le phénomène de l'aliénation.

Ainsi, l'aliénation parentale n'est pas considérée comme un syndrome, mais plutôt comme un phénomène relationnel. Ce n'est pas l'enfant qui présente une pathologie psychique, mais plutôt la dynamique relationnelle familiale qui est dysfonctionnelle et qui l'amène à agir de façon déraisonnable. Voilà pourquoi on parle maintenant davantage d'« aliénation parentale » que de « syndrome d'aliénation parentale ». Il reste que pour l'enfant aliéné, la destruction de l'image d'un de ses parents constitue un abus dommageable à long terme, et c'est sans parler du vécu du parent rejeté. Le phénomène est particulièrement difficile à évaluer.

Un défi pour l'évaluation

L'aliénation parentale se produit lorsque l'exposition au dénigrement soutenu et sans fondement d'un parent par l'autre amène l'enfant à résister ou à refuser le contact avec le parent dénigré. En revanche, lorsque des motifs rationnels permettent d'expliquer la résistance de l'enfant, il ne s'agit pas d'aliénation, mais d'évitement[7].

Les cas d'aliénation ne sont pas tous aussi graves les uns que les autres. Si l'ampleur (les zones relationnelles touchées), la durée et la force (l'intensité) du rejet du parent aliéné par l'enfant servent à en apprécier l'importance, il faut aussi pouvoir en isoler les causes. Joan Kelly et Janet Johnston, deux chercheuses américaines réputées, ont défini l'enfant aliéné comme :

> « Un enfant qui exprime, librement et de façon persistante à l'égard d'un parent, des sentiments et des croyances négatifs (comme de la colère, de la haine, du rejet et/ou de la peur) qui sont clairement disproportionnés par rapport à ce que vit réellement l'enfant en lien avec ce parent[8]. »

Ces chercheuses ont proposé un modèle intégrant plusieurs facteurs et permettant d'expliquer pourquoi certains enfants rejettent l'un de leurs parents et s'alignent étroitement sur le comportement de l'autre. Ainsi, dans le processus d'évaluation de l'aliénation parentale, elles estiment nécessaire de considérer toute une série de facteurs de risque pouvant influencer la réponse de rejet de l'enfant, notamment :

- Le comportement aliénant du parent sur lequel l'enfant « s'aligne » et la personnalité de ce parent ;
- La personnalité et les comportements inappropriés du parent rejeté et ses réactions au rejet par l'enfant ;
- La présence de violence familiale, d'abus ou de négligence envers l'enfant ;
- La présence de conflits ouverts donnant lieu à des guerres de clans entre les familles élargies, les

professionnels impliqués dans les litiges et les réseaux d'amis des ex-conjoints;

- Les pressions et les alliances des frères et sœurs de l'enfant-cible;
- Les vulnérabilités personnelles de l'enfant (par exemple un enfant dépendant, anxieux, troublé émotionnellement, très suggestible, ayant de faibles capacités d'adaptation au changement, etc.);
- Des facteurs liés au stade de développement du jeune dans le contexte de la transition familiale (l'anxiété normale liée à la séparation selon l'âge de l'enfant, la réaction aux conflits parentaux qui perdurent, la crise de l'adolescence, etc.)[9].

Ainsi, le défi de l'évaluation professionnelle en matière d'aliénation parentale est de distinguer le rejet résultant principalement de l'influence pernicieuse de l'autre parent, du rejet qui s'appuie sur autre chose. Plusieurs éléments peuvent en effet intervenir dans l'alignement de l'enfant, notamment de meilleures affinités avec un parent, la volonté d'en finir avec les conflits, des comportements inacceptables de la part du parent rejeté, etc. Dans ce contexte, le parent non rejeté peut attribuer à l'autre la faute du rejet qu'il observe, tandis que le parent rejeté peut penser à tort que le parent préféré alimente le rejet dont il fait l'objet. Ces croyances nourrissent les hostilités et entraînent une escalade du conflit. Dans un tel contexte, le parent non désiré a généralement peu de contacts avec l'enfant. Si, au surplus, ses habiletés parentales et personnelles sont faibles, une véritable dynamique d'aliénation peut se développer peu à peu et l'enfant peut alors faire preuve d'un négativisme disproportionné à son égard avec l'aval du parent préféré. Ce dernier prend prétexte de protéger son enfant de la mauvaise influence de l'autre. Voilà comment des cas « hybrides » d'aliénation parentale peuvent survenir lorsque les situations de rejet ne sont pas clarifiées à temps et que les facteurs de risque se combinent pour empoisonner la dynamique relationnelle[10]. À long terme, même le parent préféré gagne à désamorcer le rejet irrationnel de son ex-conjoint par l'enfant, car la reconnaissance éventuelle de l'aliénation parentale le mettra directement en cause comme « abuseur ». Réciproquement, les fausses allégations d'aliénation parentale par le parent non gardien dans le but de faire changer la formule de garde peuvent se retourner contre lui lorsqu'il sera démontré qu'il a menti pour arriver à ses fins. Les systèmes de protection de la jeunesse peuvent traiter les cas sévères d'aliénation parentale comme des cas de violence psychologique. On considère alors que l'enfant a besoin de protection[11].

Les comportements aliénants

Dans la plupart des familles, intactes ou séparées, on peut observer des comportements qui se rapprochent de l'aliénation sans que l'on puisse pour autant parler d'aliénation parentale. Certains comportements peuvent cependant contribuer à l'aliénation parentale lorsque leur fréquence, leur intensité et leur généralisation à différents contextes sont suffisantes. Baker et Ben-Ami (2011) en fournissent des exemples[12] :

- Émettre des commentaires négatifs sur l'autre parent ;
- Limiter les contacts ;
- Retenir ou bloquer les messages ;
- Rendre la communication difficile ;
- Monter l'enfant contre l'autre parent ;
- Provoquer de l'inquiétude chez l'autre parent ;
- Perturber les sentiments d'affection de l'enfant envers l'autre parent ;
- Affirmer que l'autre parent ne l'aime pas ;
- Obliger l'enfant à choisir ;
- Affirme que l'autre parent est dangereux ;
- Confier ses sentiments négatifs envers l'autre parent à l'enfant ;
- Exiger un parti pris de la part de l'enfant ;
- Demander à l'enfant d'espionner ;
- Demande à l'enfant de garder des secrets ;
- Empêcher l'enfant de voir la famille élargie de l'autre parent ;
- Encourager l'enfant à dénigrer l'autre parent.

Les effets de l'aliénation sur les enfants

De nombreuses études et observations cliniques publiées ont permis d'identifier une série de séquelles chez les enfants victimes d'aliénation parentale. L'examen des recherches cliniques permet de dresser une liste de problèmes souvent observés chez ces enfants:

- Faible distance critique par rapport à la réalité;
- Manque de logique dans les opérations cognitives;
- Traitement de l'information simpliste et rigide;
- Perceptions interpersonnelles erronées et biaisées;
- Fonctionnement interpersonnel perturbé;
- Autodétestation;
- Faible estime de soi (avec intériorisation des défauts du parent rejeté, culpabilité face au rejet du parent, méfiance, sentiment d'être sans valeur, de ne pas être aimé, d'être abandonné) ou au contraire sentiment de toute-puissance;
- Fausse maturité;
- Problèmes d'identité de genre;
- Confusion identitaire (difficulté à définir ses frontières personnelles, « ce que je suis et ce que je ne suis pas, ce que je veux et ce que je ne veux pas »);
- Problèmes de comportement et agressivité;
- Mépris des normes sociales et de l'autorité;
- Faible contrôle des pulsions;
- Passivité, dépendance et contraintes émotionnelles;
- Absence de culpabilité[12].

Évidemment, ces séquelles ne se retrouvent pas toutes chez un même individu et les enfants aliénés ne sont pas non plus les seuls à avoir ce genre de problèmes. Cette liste illustre néanmoins la multiplicité des séquelles pouvant être observées chez les enfants qui vivent l'aliénation parentale. Plusieurs éléments convergent vers une sorte de distorsion du rapport à soi et à la réalité, comme si la participation entière et durable de ces jeunes à la mise en scène fallacieuse du rejet d'un parent diminuait leur capacité à distinguer le vrai du faux. L'aliénation parentale, qui divise en deux clans ennemis les personnes les plus importantes au monde pour l'enfant (lui-même, sa mère et son père), peut avoir des effets psychologiques durables. Dans une recherche qualitative basée sur des entrevues réalisées auprès de 38 adultes (14 hommes et 24 femmes) âgés de 19 à 67 ans et ayant tous vécu de l'aliénation parentale, Baker (2005) observe les séquelles suivantes :

- Une faible estime de soi (chez 26 des 38 répondants, ou 68 %) qui se traduit par des sentiments négatifs à l'égard de soi-même et qui est alimentée par trois facteurs : a) l'impression d'être comme le parent rejeté si souvent décrit comme mauvais par le parent aliénant (la ressemblance physique contribue à cette impression) ; b) la perception d'avoir été mis de côté par le parent distant avec le rappel fréquent du parent aliénant, qui insiste sur le fait « qu'il ne nous aime plus et ne fait plus rien pour nous » ; et c) la culpabilité grandissante d'avoir trahi ce parent aliéné ;
- De fréquents épisodes de dépression chez 70 % des répondants, qui associent ce problème aux effets prolongés de la séparation des parents et au sentiment

d'avoir perdu le parent aliéné et de ne pas être aimé de lui ;

- De sérieux problèmes de consommation de drogue et d'alcool liés à un désir de fuite chez un tiers des répondants à certains moments de leur vie ;
- Une attitude de méfiance à l'égard de soi-même et des autres qui rend souvent les relations interpersonnelles problématiques (47 % des répondants) ;
- La répétition de la dynamique d'aliénation chez 14 des 28 répondants (50 %), qui se disent rejetés par leur(s) propre(s) enfant(s) ; les sentiments de perte, d'abandon et de rejet sont ainsi ravivés ;
- Le divorce (un pour les deux tiers des répondants et plus d'un pour le quart d'entre eux) ; répétition du scénario de rupture[14].

Si ces données ont été obtenues à partir d'un petit nombre de cas, elles n'en illustrent pas moins les conséquences potentielles de l'aliénation parentale sur l'enfant devenu adulte.

Que faire ?

Que peut-on faire face à l'aliénation parentale ? La meilleure solution est sans doute de la prévenir en prenant conscience des dangers qu'il y a à se laisser emporter dans l'escalade des conflits et du dénigrement. Mais la prévention se fait en amont ou exige tout au moins d'avoir la volonté de freiner la détérioration et d'éviter les conséquences nuisibles lorsque le phénomène est déjà amorcé. L'intervention thérapeutique auprès de la famille constitue une autre avenue, mais elle requiert la participation et la bonne foi des acteurs familiaux, y compris celles du parent aliéné et de l'enfant (ou des enfants). La thérapie individuelle n'est pas considérée comme indiquée, car le phénomène s'inscrit dans la dynamique familiale et ne relève pas seulement d'un problème individuel. Dans certains cas, l'incitation précoce de la Cour à consulter pour désamorcer l'aliénation potentielle a donné lieu à des améliorations[15].

En pratique toutefois, l'intervention thérapeutique avec la famille exclut les cas « très sévères » d'aliénation où la distance critique des acteurs n'est pas suffisante pour leur permettre de participer de bonne foi à une démarche sérieuse de changement. Dans les cas confirmés d'aliénation, le tribunal peut ordonner différentes mesures allant de la suspension des droits du parent aliéné (dans le but de faire cesser la crise) au renversement de la garde de l'enfant, c'est-à-dire l'attribution de la garde au parent aliéné[16]. Ces mesures sont cependant adoptées en dernier recours. Avant d'en arriver là, le juge peut recevoir les parents et les mettre clairement au fait de ce qui est attendu d'eux et des conséquences d'un défaut d'agir. L'ordonnance de contacts entre l'enfant et le parent aliéné (avec, parfois, une phase préalable de contacts supervisés), un changement de garde temporaire et la suspension provisoire des contacts avec le parent aliénant avec ou sans visites supervisées sont des exemples de mesures fortes pouvant précéder le renversement de la garde. À ce sujet, même si la crainte d'un traumatisme provoqué par le renversement de la garde est bien présente chez les décideurs et les intervenants, il semble que des améliorations relationnelles soient observées dans bon nombre de cas à la suite d'une telle ordonnance. Certains enfants peuvent en effet ressentir un soulagement face à l'abandon de la campagne de dénigrement[17].

Si la pertinence des mesures autoritaires pour faire cesser l'aliénation parentale peut faire l'objet de controverses, la nécessité d'envisager d'abord des moyens moins radicaux comme la prévention, les programmes d'éducation parentale, le *case management* juridique, le *coaching* familial, le counselling ou la thérapie familiale fait généralement consensus. Il faut cependant pouvoir dépister à temps le phénomène et amener les acteurs à participer de bonne foi.

Des frontières de rôles menacées

Dans le cours normal des choses, l'enfant développe son autonomie au fil des ans et acquiert une réponse de plus en plus nette aux questions de base concernant qui il est, qui il n'est pas, son rôle à lui, le rôle de ses parents, etc. avec le soutien de relations basées sur la confiance mutuelle. Lorsque les parents se séparent, la confiance qui régnait entre les membres de la famille est ébranlée, les attachements mutuels vivent des stress nouveaux et les alliances peuvent se transformer. Lorsqu'un parent quitte le domicile familial pour des raisons d'hospitalisation prolongée, d'affectation d'emploi ou de décès, un vide se crée et les frontières de rôles des autres membres ont tendance à se déplacer pour le combler. Si le départ d'un parent à la suite d'une séparation crée également un vide, celui-ci s'accompagne aussi d'une surcharge de responsabilités et de besoins de soutien non comblés pour le parent gardien. Les pressions relationnelles peuvent alors menacer les frontières intergénérationnelles et forger de nouvelles alliances dans lesquelles l'enfant est amené à remplacer le parent absent. Ce type de dynamique amène l'enfant à jouer des rôles qui ne lui appartiennent pas et qui compromettent son identité d'enfant. Lorsque les parents utilisent l'enfant pour répondre à leurs besoins plutôt que de le protéger et de favoriser son développement, on parle de « corruption de rôles ». Il existe trois types de corruption de rôles en contexte d'aliénation parentale : la parentification, l'adultification et l'infantilisation[18].

On parle de *parentification* lorsqu'un adulte en position d'autorité exige de son enfant qu'il prenne soin de lui comme le ferait un parent. On observe notamment ce phénomène dans les familles où le parent vit une maladie physique invalidante, un veuvage difficile, une dépression profonde, des problèmes de toxicomanie, une dépendance affective grave, etc. L'inversion des rôles normalement observée entre le parent âgé et l'enfant devenu adulte se produit ici alors même que l'enfant n'a pas encore atteint son plein développement ; il est utilisé pour répondre aux besoins matériels ou affectifs du parent. En plus de fausser ses repères intergénérationnels, cette inversion des rôles prive l'enfant d'une réponse à ses besoins personnels, d'une partie de sa vie d'enfant et de sa disponibilité à l'égard de ses pairs. Surchargé de responsabilités familiales et privé d'un adulte allié, le parent monoparental peut être naturellement tenté d'utiliser son enfant comme soutien instrumental ou émotionnel. Si certains prétendent que cette attitude permet de renforcer l'autonomie du jeune, on s'accorde généralement pour y voir une réalité nuisible à son développement. Les parents qui sont conscients des séquelles potentielles pour l'enfant peuvent se prémunir contre cette tendance. Toutefois, en contexte de séparation difficile, le parent gardien carencé peut vivre une détresse personnelle qui l'empêche de prendre conscience qu'il profite de son enfant en le « parentifiant »[19]. La recherche clinique tend à montrer que les mères ont plus tendance que les pères à parentifier leur enfant et que les filles en sont plus souvent victimes que les garçons[20].

L'*adultification*, un phénomène de corruption de rôles voisin de la parentification, s'en distingue par le fait que l'enfant y est traité comme un adulte du même âge plutôt que comme un parent. L'enfant peut ainsi devenir le confident, le copain intime, l'allié stratégique ou le partenaire émotionnel du parent, ce qui peut l'amener à vivre une fusion dyadique inappropriée pour son niveau de maturité. L'alignement complet de l'enfant sur les positions du parent qui survient en contexte d'aliénation parentale crée un contexte très propice à l'émergence de ce problème. L'adulte en manque d'alliés peut se faire croire que l'enfant peut jouer ce rôle puisqu'il est manifestement fier de défendre les mêmes intérêts et les mêmes positions que lui. On assiste encore ici à un détournement de « l'agenda développemental » de l'enfant au profit de celui de son parent ; il s'agit d'une dynamique propice au développement ultérieur d'anxiété, de dépression ou de colère face à l'usurpation commise par le parent.

L'*infantilisation* est un autre type de corruption de rôles qui peut apparaître dans un contexte d'aliénation parentale. Il s'agit de la tendance d'un parent à résister à l'autonomisation de son enfant et à le maintenir dans un statut de dépendance inapproprié pour son âge. Aux yeux de l'entourage, le parent infantilisant peut paraître extrêmement attentionné, compétent et très soucieux de répondre au moindre besoin du jeune. En réalité, il prive ce dernier de son espace minimal de vie dans le but de conserver intacte sa fonction de parent soignant irremplaçable, un rôle que l'autonomie grandissante de l'enfant menace :

> « Dans le contexte de conflits liés au divorce, le parent infantilisant peut vivre la séparation provoquée par le temps passé par l'enfant sous la garde de son autre parent comme une blessure narcissique (une perte de soi) suscitant la colère, la dépression et/ou l'anxiété. Ces émotions sont communiquées à l'enfant et incitent celui-ci à résister ou à refuser les contacts avec l'autre parent. Comme l'enfant

parentifié, cet enfant peut se sentir responsable du bien-être de son parent fusionnel et le manifester non pas en prenant soin de lui, mais en justifiant son rôle de soignant indispensable par le maintien d'une dépendance complète à son égard[21]. »

Se faire des amis, se débrouiller par soi-même, choisir ses activités de façon autonome, refuser de faire des choses, avoir ses secrets, tout cela cadre bien mal avec la dépendance qu'on attend de lui, et l'enfant doit donc y renoncer pour se mériter l'amour de son parent. Les effets à long terme de l'infantilisation découlent du décalage développemental créé par cette dynamique qui freine les progrès de l'enfant. Le retard peut être très difficile à rattraper, tant sur le plan affectif que cognitif ou social. L'enfant qui grandit et qui prend éventuellement conscience de cette usurpation ne peut que se sentir trahi par son parent.

Les trois formes de corruption de rôles que nous venons de présenter sommairement prennent toutes leur source dans la détresse et les carences personnelles du parent aliénant. Les programmes éducatifs qui nomment ces phénomènes et permettent de les reconnaître et de les anticiper sont évidemment utiles sur une base préventive. Or, lorsque la famille est aux prises avec l'aliénation, sa sensibilité à de tels contenus est largement compromise. L'approche la plus réaliste consiste à attaquer le problème à sa source et à offrir aux parents des moyens de satisfaire leurs besoins personnels d'adultes ailleurs que dans leur relation avec leur enfant lorsque cela est possible.

En résumé

On a beaucoup parlé de l'aliénation parentale et cette notion continue d'occuper une place importante dans l'univers des conflits entourant la séparation conjugale. Lorsqu'il n'y a pas de conflit sérieux cependant, ce concept est à peu près absent de la transition familiale. Le phénomène d'aliénation parentale est donc intimement lié à la présence de conflits entre les ex-conjoints, à l'antagonisme qui existe face aux enjeux de la rupture, notamment les liens avec les enfants et les rôles parentaux. Comme nous l'avons déjà souligné ailleurs dans cet ouvrage, les liens et les rôles parentaux sont peut-être ce qu'il y a de plus important dans la vie des parents qui se séparent. Ainsi, lorsque la survie de ces liens est menacée, il devient crucial de les protéger. L'allégation d'aliénation parentale est très grave : elle revient à accuser l'ex-conjoint de faire subir un lavage de cerveau à l'enfant dans le but de l'amener à rejeter son autre parent. Cela équivaut à une accusation de pratique illégale en politique, en affaires ou dans les sports ; l'aliénation parentale constitue un abus envers l'enfant qui s'en trouve trompé, privé d'un attachement majeur et confiné dans des rôles qui ne conviennent pas à son statut développemental. Ce genre d'allégation devient dès lors un levier puissant pour disqualifier le parent « préféré » de l'enfant. Mais entre l'allégation d'aliénation parentale et la reconnaissance du phénomène par le tribunal, il y a une marge : les manifestations de dénigrement d'une personne peuvent en effet s'étendre sur tout un continuum et un enfant peut résister au contact avec l'un de ses parents pour toutes sortes de raisons, même dans une famille intacte. La démonstration hors de tout doute d'une machination préméditée destinée à détourner l'enfant de l'un de ses parents n'est pas facile à faire.

Notes

1. Drapeau, S., M.-H. Gagné et R. Hénault, R. « Conflits conjugaux et séparation des parents ». Dans M.-C. Saint-Jacques, D. Turcotte, S. Drapeau et R. Cloutier (dir.). *Séparation, monoparentalité et recomposition familiale*. Québec, Presses de l'Université Laval, 2004.
2. Fidler, J.B. et N. Bala. « Children resisting post separation contact with a parent: concepts, controversies, and conundrums ». *Family Court Review* 2010 48 : 10-47, p. 10. Traduit par nos soins.
3. Johnston, J.R. « Parental alignments and rejection: An empirical study of alienation in children of divorce ». *Journal of the American Academy of Psychiatry and Law* 2003 31 : 158-170 ; Johnston, J.R. « A child-centered approach to high conflict and domestic violence families: Differential assessment and interventions ». *Journal of Family Studies* 2006 12 : 15-36 ; Wallerstein, J.S. et J.B. Kelly. *Surviving the breakup: How children and parents cope with divorce.* New York, Basic Books, 1980 ; Wallerstein, J.S., J. Lewis et S. Blakeslee. *The unexpected legacy of divorce: A 25-year landmark study.* New York, Hyperion, 2000.
4. Friedlander, S. et M.G. Walters. « When a child rejects a parent: Tailoring the intervention to fit the problem ». *Family Court Review* 2010 48 : 97-110 ; Kelly, J.B. et J.R. Johnston. « The alienated child: A reformulation of parental alienation syndrome ». *Family Court Review* 2001 39 : 249-266.
5. Gardner, R.A. « Parental alienation syndrome vs parental alienation: Which diagnosis should evaluators use in child custody disputes? » *The American Journal of Family Therapy* 2002 30 : 93-115, p. 95. Traduit par nos soins.
6. Cloutier, R. « Le syndrome d'aliénation parentale en contexte de conflit sur la garde de l'enfant ». *Psychologie Québec* mars 2006 28-31 ; Gagné, M.-H., S. Drapeau et R. Hénault. « L'aliénation parentale : un bilan des connaissances et des controverses ». *Psychologie canadienne* 2005 46 : 73-87.

7. GARBER, B.D. « Parental alienation and the dynamics of the enmeshed parent-child dyad : Adultification, parentification, and infantilization ». *Family Court Review* 2011 49 : 322-335.
8. KELLY, J.B. et J.R. JOHNSTON. « The alienated child : A reformulation of parental alienation syndrome ». *Family Court Review* 2001 39 : 249-266, p. 251. Traduit par nos soins.
9. KELLY, J.B. et J.R. JOHNSTON. « The alienated child : A reformulation of parental alienation syndrome ». *Family Court Review* 2001 39 : 249-266 ; FIDLER, J.B. et N. BALA. « Children resisting postseparation contact with a parent : concepts, controversies, and conundrums ». *Family Court* Review 2010 48 : 10-47.
10. FRIEDLANDER, S. et M.G. WALTERS. « When a child rejects a parent : Tailoring the intervention to fit the problem ». *Family Court Review* 2010 48 : 97-110.
11. FIDLER, J.B. et N. BALA. « Children resisting postseparation contact with a parent : concepts, controversies, and conundrums ». *Family Court Review* 2010 48 : 10-47.
12. BAKER, A.L. et BEN-AMI, N. « To turn a child against a parent is to turn a child against himself : The direct and indirect effects of exposure to parental alienation strategies on self-esteem and well-being ». *Journal of Divorce and Remarriage* 2011 52 : 182.Traduit par nos soins.
13. *Ibid.*
14. BAKER, A.J.L. « Parent alienation strategies : A qualitative study of adult who experienced parental alienation as a child ». *American Journal of Forensic Psychology* 2005 23 : 41-64.
15. FRIEDLANDER, S. et M.G. WALTERS. « When a child rejects a parent : Tailoring the intervention to fit the problem ». *Family Court Review* 2010 48 : 97-110 ; JOHNSTON, J.R. et J.R. GOLDMAN. « Outcomes of family counselling interventions with children who resist visitation : An addendum to Friedlander and Walters ». *Family Court Review* 2010 42 : 112-115.
16. JAFFE, P.G., D. ASHBOURNE et A.A. MAMO. « Early identification and prevention of parent–child alienation : A framework for balancing risks and benefits of intervention ». *Family Court Review 2010* 48 : 136–152.
17. WARSHAK, R.A. « Family bridges : Using insights from social science to reconnect parents and alienated children ». *Family Court Review* 2010 48 : 48-80.
18. GARBER, B.D. « Parental alienation and the dynamics of the enmeshed parent-child dyad : Adultification, parentification, and infantilization ». *Family Court Review* 2011 49 : 322-335.

19. Cloutier, R., C. Bissonnette, J. Ouellet-Laberge et M. Plourde. « Monoparentalité et développement de l'enfant ». Dans M.-C. Saint-Jacques, D. Turcotte, S. Drapeau et R. Cloutier (dir.). *Séparation, monoparentalité et recomposition familiale.* Québec, Presses de l'Université Laval, 2004.

20. Peris, T.S. et R.E. Emery. « Redefining the parent-child relationship following divorce : Examining the risk for boundary dissolution ». *Journal of Emotional Abuse* 2005 5 : 169-189.

21. Garber, B.D. « Parental alienation and the dynamics of the enmeshed parent-child dyad : Adultification, parentification, and infantilization ». *Family Court Review* 2011 49 : 322-335, p. 327. Traduit par nos soins.

Chapitre 10

Mythes concernant la famille séparée

par Lorraine Filion

Les mythes

Il est bon, lorsqu'on parle de séparation ou de divorce, de connaître les mythes qui se rattachent à ces réalités. Comme on le sait, les mythes sont de fausses croyances, des constructions de l'esprit qui sont bien vivantes même si elles ne reposent pas sur la réalité. La façon dont vous et votre entourage percevez le divorce ou la séparation influence votre réaction, celle de vos enfants ainsi que vos modes d'adaptation.

Voici les mythes qui représentent parfois des obstacles sur la route de la séparation et de la recomposition familiale.

Mythe 1

« C'est moins pire qu'avant. De nos jours, il y a tellement de divorces que l'enfant peut en parler plus facilement. »

L'augmentation du nombre de divorces ne signifie pas que l'enfant a moins de chagrin ou qu'il est plus facile pour lui d'en parler. La peine est d'autant plus grande que les parents sont pris dans le tourbillon de la crise et qu'ils sont moins disponibles pour répondre aux besoins de l'enfant.

Malgré l'évolution des mœurs et des lois et en dépit du nombre croissant de ruptures, la séparation reste toujours pour l'enfant un événement « privé » et même, pour certains, un secret bien gardé. Nombre d'enfants hésitent à en parler à l'école, à leurs amis et même à leurs proches. Ils redoutent leurs questions, leurs réactions ou leurs commentaires.

Quand ils osent s'exprimer, ils se confient souvent à d'autres enfants de parents séparés ou à leurs meilleurs amis qu'ils savent discrets. Vous serez peut-être surpris ou blessé d'apprendre que vous n'êtes pas le premier confident de votre enfant. Or, la raison principale de ce mutisme est le grand amour que votre enfant vous porte ; il veut vous épargner des soucis et une peine supplémentaire. Le silence de votre enfant est une marque d'amour et non un manque de confiance.

Voici quelques témoignages d'enfants à ce sujet :

- « La nuit, j'entendais ma mère pleurer, alors je ne voulais pas la déranger avec ma peine. »
- « Je m'ennuyais beaucoup de mon père, mais je savais que ma mère l'aimait encore, alors je n'étais pas pour lui en parler tout le temps. »
- « Je savais que mes parents étaient fâchés ; j'étais donc turbulent à l'école, mais pas à la maison. »

- « Quand je suis très triste le soir dans ma chambre, je parle à mon chien. Il me comprend, lui. »

On voit, par ces exemples, la générosité et la discrétion de l'enfant à l'égard de ses parents.

MYTHE 2

« Les enfants de parents séparés sont marqués pour la vie et ils auront tôt ou tard des problèmes. »

La rupture est une période difficile pour tous les membres de la famille. Il vous faut donner beaucoup d'amour à votre enfant, être à l'écoute de ses besoins et éviter de parler en termes négatifs de l'autre parent. Un bon nombre d'études ont cependant démontré que le divorce en lui-même n'était pas la cause principale des difficultés d'adaptation de l'enfant. L'enfant qui s'adapte le mieux à cette situation :

- A des contacts réguliers et fréquents avec ses deux parents ; ses parents acceptent de faire preuve de souplesse pour modifier les contacts en fonction de ses besoins spécifiques et ponctuels ;
- Est tenu à l'écart du conflit des parents ; il ne sert pas de messager et n'est pas témoin de disputes violentes et continuelles entre ses parents ;
- Bénéficie d'un modèle d'identification masculin et féminin ;
- Se sent aimé par chacun de ses parents.

Même si les conditions sont favorables, les enfants ont besoin d'un certain temps — un an et plus, selon les circonstances — pour retrouver un équilibre et s'adapter à leur nouvelle réalité familiale.

MYTHE 3

« La garde partagée ne peut s'appliquer qu'à certaines conditions, notamment une bonne communication entre les parents, des résidences rapprochées et des modèles éducatifs semblables. »

À l'exception de situations d'abus ou de négligence grave de la part d'un parent, l'adaptation de l'enfant à la séparation se fait d'autant plus facilement qu'il maintient un contact régulier et fréquent avec ses deux parents.

La coparentalité n'est pas nécessairement synonyme de garde partagée et n'exige pas obligatoirement un partage égal du temps de garde. Comme l'explique notre collègue Harry Timmermans, ce qui est le plus important, c'est la coopération entre les parents :

> « Nous ne connaissons pas d'enfant mieux équipé pour affronter la vie qu'un enfant dont les deux parents coopèrent à son sujet : cet enfant a de grandes chances d'être à l'abri des trois plus grands dangers qui le menacent suite au divorce de ses parents : les tensions parentales, la pauvreté et la perte relationnelle avec un de ses parents[1]. »

La décision du partage des responsabilités parentales appartient aux deux parents ; ce sont eux qui sont les mieux placés pour élaborer le plan parental et tenir compte des besoins de leur enfant. Si vous optez pour

Quelles modalités de garde doit-on choisir ?

Votre situation est unique, si bien que la solution sera unique. Pour vous aider à prendre une décision, vous pourriez tenir compte des éléments suivants :

- Le lien établi avec votre enfant jusqu'à présent et votre projet pour l'avenir ;
- Votre disponibilité réelle compte tenu de votre santé, de votre travail, de vos études, de vos activités culturelles et sportives ;
- La présence et le soutien de votre famille, d'un nouveau conjoint, de grands-parents ou d'autres personnes ;
- Vos limites comme parent, c'est-à-dire les difficultés que vous vous reconnaissez et celles que l'on vous reconnaît dans l'exercice de votre rôle ;

- Votre situation financière ;
- Les forces et les faiblesses de l'autre parent ;
- Votre lieu de résidence (l'espace, la proximité de l'autre parent, de l'école ou de la garderie fréquentée par l'enfant) ;
- Votre désir et votre capacité à communiquer avec l'autre parent ;
- Les besoins de votre enfant au plan personnel, scolaire, familial et social, en tenant compte de son stade de développement et de son lien d'attachement à chaque parent ;
- Tout autre facteur propre à votre situation.

la garde partagée, il est important que vous formiez une équipe et que vous agissiez de façon concertée, comme le souligne la travailleuse sociale Claudette Guilmaine[2]. La collaboration constitue en effet « la clé de voûte de la garde partagée ».

Au moment de prendre votre décision, tentez de mettre en commun vos qualités et n'oubliez pas que, pour votre enfant, vous êtes complémentaires en dépit de vos différences. Rappelez-vous que la meilleure décision de partage des responsabilités parentales est celle que vous prenez ensemble, même si elle est imparfaite. L'application d'une décision imposée par un juge comporte souvent son lot de difficultés. Quel que soit le bien-fondé d'une telle décision, elle a été prise par un tiers qui est étranger à votre situation.

D'ailleurs, il est bon de signaler que l'enfant s'accommode souvent mieux des différences que ses parents. Prenons le cas de Sophie, dont la mère est végétarienne et qui insiste sur le fait que le père « oblige » l'enfant à manger de la viande. Invitée à s'exprimer sur ce sujet, Sophie dit : « Chez mon père, je mange de la viande et, chez ma mère, je me repose en mangeant des fruits et des légumes. C'est *cool !* »

Dans un autre cas, un père se plaint que les règles sont différentes chez la mère ; là-dessus, l'enfant s'exprime ainsi : « Chez ma mère, je me couche souvent à 8 h 30 et je lis avant de dormir ; chez mon père, on se tiraille, c'est le fun, puis je me couche, mais pas toujours à 8 h 30. Des fois il est 9 h, mais c'est pas grave. »

On croit souvent, lorsqu'il est question de garde partagée, que le temps de garde et les responsabilités doivent être répartis de manière parfaitement égale entre les deux parents. La réalité est bien différente, et c'est la même chose pour l'obligation des parents de se parler et de se concerter sur une base régulière.

Au cours des deux dernières décennies, la garde partagée a gagné en popularité et diverses formules ont fait leur apparition :

- Il y a la formule *une semaine – une semaine*, ou *deux semaines – deux semaines*, où l'enfant change de résidence, le plus souvent le vendredi après-midi en quittant l'école, la garderie ou le domicile du parent.
- Il y a la formule *un an – un an* (*deux ans* – deux ans est plus rare), où l'enfant change de lieu de résidence ; un changement d'école ou de garderie peut aussi se produire selon la distance entre les domiciles des deux parents
- Il y a la formule où l'enfant est pensionnaire dans un collège du lundi au vendredi et se rend chaque week-end au domicile de l'un ou l'autre de ses parents, à tour de rôle ; les étés et les congés scolaires et fériés sont alors partagés équitablement entre les deux parents.

D'autres formules ont également fait leur apparition pour prendre en compte les besoins des jeunes enfants, qui ont une notion différente du temps et de la distance :

- La transition entre les domiciles des deux parents se fait tous les deux ou trois jours. Le plus souvent, les parents résident près l'un de l'autre. C'est souvent le cas lorsque l'enfant est très jeune (0 à 18 mois) ; les parents appliquent alors la règle du « plus souvent, moins longtemps ».

D'autres parents veulent assumer le fardeau des transports et des valises et assurer à leurs enfants le maximum de stabilité :

- Ils appliquent la formule des « parents-valises », selon laquelle les parents déménagent tous les deux ou trois jours, chaque semaine ou toutes les deux semaines alors que l'enfant continue d'habiter le domicile familial. Cette formule est généralement utilisée dans les premiers mois de la séparation, mais nous avons rencontré des parents qui l'ont expérimentée pendant plus d'un an.

Des parents ont inventé toutes sortes de moyens pour communiquer ensemble après la séparation et éviter les frictions ou les occasions de conflit :

- L'utilisation d'un carnet de bord faisant état des activités de l'enfant, de ses devoirs et de ses leçons, de ses maladies, de la liste des médicaments prescrits, de ses habitudes, de ses problèmes et de ses plaisirs, etc. ;
- L'utilisation du courrier électronique, du courrier postal, d'une boîte vocale ;

- Le recours à un ami ou à un proche pour agir comme intermédiaire ;
- Le recours à un médiateur familial pour restaurer ou maintenir une communication directe ;
- L'utilisation d'un lieu neutre pour effectuer la transition (garderie, école, résidence des grands-parents ou d'un membre de la famille, ressource communautaire, restaurant, station de métro, poste de police, etc.).

Les parents qui vivent dans des villes, voire des provinces ou des pays différents, font preuve d'une grande créativité pour assumer leurs responsabilités et compenser les inconvénients de l'éloignement :

- Le recours à Internet (Skype®, MSN messenger®, webcam) pour maintenir un contact visuel et verbal très interactif et même jouer en ligne avec l'enfant ou l'adolescent. Les enfants qui ont pu vivre ces expériences nous en ont parlé avec beaucoup d'enthousiasme : « C'est super *cool* de voir mon parent, lui faire des grimaces, jouer avec lui sur Internet, rire ensemble… » ;
- L'alternance entre la résidence de l'enfant chez un parent pour la durée de son cours primaire et chez l'autre pour celle de son secondaire ;
- La réduction de la pension alimentaire pour prendre en compte les dépenses que doit engager le parent éloigné pour venir visiter son enfant ou payer des billets d'autobus, de train ou d'avion ;

- L'entraide parentale permettant, par exemple, l'hébergement du parent éloigné chez l'autre parent. Celui-ci peut prêter son appartement pour quelques jours et aller vivre chez ses parents ou chez un proche.

Comment savoir si nous prenons les bonnes décisions ?

La meilleure solution est celle que vous choisissez ensemble. Vous pouvez mettre à l'essai une formule de garde et être attentif à votre situation, à vos réactions, à celles de l'autre parent et à celles de votre enfant pour l'adapter au besoin.

Sachez que toute formule de garde, qu'elle relève de votre décision ou d'un jugement, peut être modifiée en tout temps avec le consentement des deux parents.

Il est bon de rester souple en cette matière, car les besoins de votre enfant et les vôtres évoluent constamment.

Si vous désirez obtenir de l'aide pour négocier le partage des responsabilités parentales, vous pouvez en tout temps vous adresser à un médiateur familial accrédité. Il peut vous aider à négocier une entente au moment de votre rupture ou à réviser votre entente après jugement ou lorsque vous le jugez nécessaire.

Mythe 4

« Le père est moins capable de s'occuper d'un jeune enfant que la mère. »

Il est possible que vous ayez entendu cette réflexion à plusieurs reprises depuis la naissance de votre enfant. Elle est courante et malheureusement souvent présente lors d'une séparation, au moment où les parents doivent décider du partage des responsabilités parentales ou lorsque des procédures sont entamées.

De nombreux parents et la société en général considèrent comme « normal » qu'une mère propose d'avoir la garde principale et de s'occuper seule de l'enfant. Des mères nous ont d'ailleurs confié que de proposer une garde partagée était encore vu par certains comme une démission ou l'expression d'un trop grand désir de liberté de la part de la femme. Et si la mère proposait autre chose, quelle serait la réaction du père et de la société ? Pour plusieurs, il va de soi, encore aujourd'hui, que les enfants doivent rester avec leur mère quand il y a séparation, surtout s'ils sont en bas âge.

Or, quel que soit son âge, l'enfant a autant besoin d'un père que d'une mère pour l'affection, l'attention, les conseils, les modèles à suivre, l'autorité et l'affirmation de son identité. On estime aujourd'hui que la présence du père joue, dès la naissance et même durant la grossesse, un rôle primordial dans le développement de l'enfant.

Certains pères sont peu engagés auprès de leur enfant avant la séparation, mais le deviennent après la rupture pour diverses raisons ; l'enfant en retire alors beaucoup d'avantages. D'autres démissionnent carrément à la suite de la rupture. Les pères, les mères et l'ensemble de la société devraient sans doute s'interroger sur les facteurs qui expliquent de tels désistements.

Si on prenait la peine d'écouter ce que les enfants ont à dire ? La plupart d'entre eux souhaiteraient passer autant de temps avec papa qu'avec maman. Les jeunes enfants, en particulier, ont un souci d'équité pratiquement inné. Pour eux, il faut que ce soit égal : « Je ne peux pas choisir entre les deux, alors je veux rester avec les deux. »

MYTHE 5

« L'amour entre beaux-parents et beaux-enfants est instantané ou viendra nécessairement avec le temps. »

Un parent aime que son nouveau conjoint fasse preuve de gentillesse à l'égard de son enfant ; de façon générale, le parent est porté à croire que l'amour s'installera facilement entre eux. Or, la réalité est un peu plus complexe et difficile. Le parent et le nouveau conjoint sont amoureux : ils se sont choisis et ont décidé de vivre ensemble. Pour sa part, l'enfant n'a souvent rien choisi de ce qui lui arrive : ni la séparation ni la présence du nouveau conjoint, qui est quelquefois accompagné de ses propres enfants.

Le développement de la relation entre les membres de la famille recomposée nécessite du temps, de l'énergie et de la volonté. De plus, il est sage de ne pas trop attendre de cette relation entre beaux-parents et beaux-enfants, car il est possible qu'aucune relation significative ne s'installe entre eux. Certains enfants racontent qu'après des mois, voire des années, ils ne peuvent que tolérer le beau-parent. Dans certains cas, c'était déjà beaucoup.

Faire des ajustements, prendre son temps, faire preuve de tact et de patience, avoir des attentes réalistes, voilà autant de moyens qui favorisent le développement de relations harmonieuses entre toutes les personnes concernées.

MYTHE 6

« Si l'enfant ne veut pas ou ne veut plus visiter l'autre parent, il vaut mieux lui laisser le choix. »

Plus l'enfant est jeune, plus il réagit à toute séparation physique avec ses parents, sa famille ou ses grands-parents. S'il fréquente une garderie ou un lieu de gardiennage, il peut aussi réagir tout autant au départ quotidien ou périodique de ses parents.

Il arrive que des parents bien intentionnés et ayant la garde de leur enfant se retrouvent dans une situation délicate et inconfortable après quelques mois ou quelques années de séparation lorsque l'enfant refuse d'aller visiter l'autre parent. Si cela vous arrive, soyez vigilant et attentif et ne sautez pas trop vite aux conclusions. Évitez de chercher un coupable et soyez plutôt ouvert à la recherche de solutions.

L'enfant ne peut prendre seul la décision d'aller ou non chez l'autre parent. Quel que soit le motif qu'il invoque, son désir, ses impulsions, ses colères ou ses goûts, c'est vous qui devez indiquer à votre enfant la marche à suivre. Il doit respecter votre décision et se rendre chez l'autre parent. Si vous hésitez à l'obliger ou si vous lui laissez prendre la décision, ne serait-ce qu'une seule fois, voici de quelle façon il pourrait interpréter votre réponse :

- « Aller chez l'autre parent n'est pas si important que cela. »
- « Je peux décider de ne pas faire quelque chose qui ne me plaît pas et qui ne me tente pas. »
- « Je peux faire plaisir à un parent et pas à l'autre. »
- « Je décide, mais j'ai des regrets et je me sens coupable par la suite. »

Quel que soit l'âge de l'enfant, celui-ci a besoin de points de repère et de règles claires. Il est dès lors préférable de ne pas le laisser prendre ce genre de décision seul. Si vous prenez les décisions et maintenez le cap, il se sentira en sécurité, même si, sur le moment, il peut pleurer, frapper, crier ou même vous menacer : « Je ne t'aime plus parce que tu m'obliges... » Vous agissez pour son bien et son équilibre, et il vous en sera reconnaissant plus tard.

Évidemment, votre enfant peut avoir de bonnes raisons d'hésiter ou de ne pas vouloir se rendre chez l'autre parent. En voici quelques-unes :

- L'arrivée d'un nouveau conjoint ;
- L'arrivée de nouveaux enfants ;
- Un milieu étranger ou nouveau ;

- Des règles plus strictes;
- L'absence d'amis;
- L'ennui.

Dans ce cas, maintenez la visite prévue, mais n'hésitez pas à entamer rapidement le dialogue avec l'autre parent. Si la communication directe n'est pas possible ou s'avère très difficile, vous pouvez obtenir l'aide d'un médiateur familial.

Si le refus de votre enfant de visiter l'autre parent peut être un caprice passager, il peut aussi révéler un malaise face à un nouveau milieu ou à un changement au sein de ce milieu. Les parents séparés doivent ainsi communiquer entre eux pour mieux comprendre ce qui se passe et rassurer l'enfant si nécessaire. Le contact avec l'autre parent permet aussi de faire les aménagements requis s'il faut apporter des changements dans l'horaire ou la fréquence des contacts. Si l'autre parent refuse tout dialogue, même en présence d'un médiateur, vous pouvez vous adresser à un conseiller juridique pour explorer d'autres solutions, notamment celle de saisir les tribunaux.

En général, les adolescents ne se gênent pas pour vous faire connaître leur besoin de respect et de souplesse en ce qui concerne leurs sorties, leurs amis et leur gestion du temps. Ainsi, l'attitude d'un parent envers un adolescent qui demande le report ou l'annulation d'une visite chez l'autre parent doit être différente. De nombreux parents invitent leur adolescent à transiger directement avec le parent concerné, ce qui est fort adéquat et soulage les parents d'une tâche ingrate. Les adolescents apprécient cette responsabilité. Ils sont particulièrement reconnaissants envers les parents qui font preuve de souplesse dans les négociations.

Notes

1. TIMMERMANS, H. « La garde partagée : une organisation précieuse ». *Revue scientifique* AIFI 2007 1(1) : 208.
2. GUILMAINE, C. *Vivre une garde partagée : une histoire d'engagement parental.* Montréal, Éditions du CRAM et Éditions du CHU Sainte-Justine, 2009, p. 85.

CHAPITRE 11

Que sont devenus les enfants du divorce une fois adultes ?

par Harry Timmermans

Beaucoup d'adultes d'aujourd'hui ont connu le divorce de leurs parents dans les années 1970 et 1980. Cette expérience difficile influence-t-elle leur contexte familial ? Ces adultes sont-ils portés à reproduire le divorce de leurs parents ? Comment ces adultes décrivent-ils leur expérience de famille éclatée et quels liens établissent-ils avec les contraintes de leur vie actuelle ? A-t-on tiré des leçons de leur expérience pour mieux comprendre les situations contemporaines de séparation ? Dans ce chapitre, nous tenterons de voir dans quelle mesure le divorce des parents peut marquer ou influencer la vie des enfants devenus des adultes.

Le divorce des parents : un héritage lourd à porter ?

Il nous semble important de rappeler quelle était la réalité du divorce dans les années 1970 et 1980. À cette époque, le divorce sans faute n'existait pas et il fallait un motif pour le demander : adultère, non-consommation du mariage, cruauté mentale ou physique, etc. Il devait donc y avoir un procès, car l'objectif était de trouver un coupable. Les jugements de divorce commençaient donc toujours par la phrase suivante : « Je prononce le divorce aux torts de… ». Notre expérience professionnelle nous a sensibilisés aux effets dévastateurs engendrés par le système de cette époque, qui discréditait un parent par rapport à l'autre et créait un système familial tendu, souvent acrimonieux et rarement coopérant. C'est dans ce contexte que les adultes d'aujourd'hui, souvent eux-mêmes parents, ont vécu le divorce de leurs parents.

Les difficultés d'adaptation de ces enfants, maintenant adultes, sont en grande partie attribuables aux conflits persistants entre leurs parents. Ces conflits perdurent parfois pendant plusieurs années. Il faut se rappeler que les enfants peuvent supporter pendant un certain temps les tensions de leurs parents : ils sont résilients, mais ils ne sont pas invulnérables.

Le besoin de comprendre

Pendant les quinze années que nous avons passées à animer les séminaires sur la coparentalité, nous avons rencontré un très grand nombre de participants qui nous ont confié, directement ou par le biais des sondages, ce grand besoin de *comprendre*. « Je comprends mieux maintenant mes réactions à la séparation de mes parents quand j'étais enfant » est une remarque que nous avons souvent lue ou entendue. L'enfant du divorce cherche toute sa vie à comprendre; c'est une préoccupation qui revient fortement à l'âge adulte, surtout s'il veut éviter à ses enfants l'absence de compréhension qui a nui à son épanouissement.

En effet, on se souvient, adulte, des tensions, des insomnies marquées par l'inquiétude et l'insécurité (Où est-ce que je vais habiter et avec qui? Et l'école? Et les amis? Qui va s'occuper de moi?), des confidences inappropriées que nos parents nous ont faites (« Ta mère ne m'aime plus »), de l'impossibilité de choisir notre milieu de vie et du « secret » entourant ce que l'on a vécu. Lorsque nous devons à notre tour faire face à une séparation, ces détails nous reviennent et nous voulons mettre tout en œuvre pour éviter cela à nos enfants. Il devient alors important de comprendre ce passage difficile de notre vie. Autrement, le contexte demeure flou, inquiétant, et il y a de fortes chances que nous soyons tentés d'enfouir tout cela pour ne plus jamais y revenir.

La travailleuse sociale québécoise Marie-Christine Saint-Jacques[1] s'est récemment intéressée à la triangulation des filles (qui sont plus souvent prises au cœur des conflits de leurs parents que les garçons). Elle a réalisé une recherche qualitative auprès d'un échantillon composé de dix femmes adultes ayant connu un contexte de triangulation alors qu'elles étaient enfants. La triangulation consiste à demander à l'enfant de prendre parti, d'espionner l'autre parent, de transmettre des messages à propos de sujets délicats, etc. Il arrive souvent aussi, comme nous l'avons évoqué prédécemment, que l'un des parents dénigre l'autre devant l'enfant... C'est la source principale des conflits de loyauté. Cette triangulation fait naître des comportements d'évitement qui nuisent aux relations interpersonnelles et engendrent un désengagement émotif.

L'enfant est ainsi appelé à *prendre parti* dans un contexte d'aliénation parentale. Il s'agit d'une situation incompréhensible pour un enfant qui a une relation parent/enfant et non pas une relation parent/conjoint. *L'enfant apprend à faire un choix sans se fier à son jugement, une déviation qui risque d'avoir de graves répercussions à l'âge adulte*[2].

L'enfant devient aussi une sorte *d'espion*. On l'interroge sur sa vie avec l'autre parent, souvent pour alimenter les conflits et justifier les propos dénigrants. « Mes parents se détestaient par personne interposée », disait l'un de ces enfants. Il s'agit d'une situation culpabilisante à l'extrême, car elle donne à l'enfant l'impression d'être sur un champ de bataille. *L'enfant n'est plus un enfant et ne vit pas ce qu'il devrait vivre comme enfant. On risque ainsi d'assister à l'émergence d'une idéologie de rattrapage chez l'adulte, qui voudra vivre les étapes d'insouciance et de jeux qu'il n'a pas pu vivre lorsqu'il était enfant*[3].

Enfin, une autre triangulation importante est celle de *l'enfant messager*: l'enfant transmet des informations d'un parent à l'autre dans une sorte de marathon infernal et sans fin. Ces messages sont souvent accompagnés de commentaires désobligeants de la part de chacun des parents.

L'enfant messager finit par se sentir responsable de la parole qu'il porte, laquelle est rarement un compliment. Il se sent également responsable de la colère, de la tristesse ou de l'agacement qu'il suscite et finit par considérer sa propre parole comme potentiellement dangereuse... L'enfant risque de devenir un adulte muet, secret et fuyant les responsabilités[4].

Dans cette compilation des effets du divorce sur les enfants devenus adultes, nous ne pouvons pas ignorer la recherche de Judith Wallerstein (2000) intitulée *The Unexpected Legacy of Divorce*. La thérapeute américaine a renoué avec 131 adultes rencontrés 25 ans plus tôt au moment de la séparation de leurs parents. Elle constate qu'ils occupent des emplois moins bien rémunérés, qu'ils sont moins éduqués que leurs parents et qu'ils sont plus vulnérables aux drogues et à l'alcool. Ils ont également tendance à craindre l'échec et le changement, à se sentir seuls et à avoir une mauvaise estime d'eux-mêmes. Cette recherche jette un pavé dans la mare et vient contredire ceux qui pensent que le divorce ne représente pas nécessairement une situation difficile et compromettante pour l'enfant.

Selon Judith Wallerstein, l'enfant éprouvera pendant plusieurs années le choc causé par le divorce. À l'âge adulte, il en ressentira les effets lorsqu'il s'engagera dans une relation sérieuse: il appréhendera un échec amoureux dans 60% des cas. Nous avons rencontré, dans notre pratique, des adultes qui ne croyaient pas fondamentalement à la solidité de la relation amoureuse. Ces adultes «testaient» continuellement leur union pour en vérifier la solidité jusqu'à ce qu'elle éclate. Ils avaient alors la preuve que la liaison amoureuse n'a pas la capacité de résister aux tempêtes existentielles et qu'elle ne représente pas un investissement intéressant.

« Nous avons effectué des changements radicaux dans la famille sans réaliser que cela bouleverserait le processus de croissance des enfants », écrit Wallerstein. Cette recherche comporte cependant une lacune de taille : elle ne compare pas les enfants issus de familles séparées vivant des tensions parentales avec ceux provenant de familles intactes qui vivent également des tensions parentales. Notre vécu professionnel dans ce domaine nous porte à croire que ce sont les tensions parentales persistantes qui sont fondamentalement nocives pour l'enfant et qui peuvent comporter des risques à long terme. Ce n'est donc pas le divorce lui-même qui représente une situation compromettante, mais bien la manière dont les parents vivent ou divorcent.

Les effets probables chez l'adulte : des témoignages

Dans le cadre du Service d'expertise psychosociale et de médiation de la famille, nous avons recueilli de nombreux témoignages qui en disaient long sur les souffrances des enfants et les conséquences sur leur vie d'adulte. Nous résumons ici ces témoignages en utilisant une phrase synthèse pouvant expliquer de nombreuses situations difficiles vécues par les enfants et qui ont marqué leur développement.

« J'ai passé quarante-trois ans à fuir ce que je suis. »

Les enfants sourient et font comme si tout allait bien pour faire plaisir aux parents. Ils sont conscients que leurs parents sont en proie à des questionnements douloureux et ils ne veulent pas en rajouter de peur de précipiter une séparation qui finit par arriver de toute façon. Ne rien bousculer, ignorer ses propres sentiments, devenir un autre que soi-même, voilà le destin de certains enfants. Une fois adultes, ils se montrent réticents à parler du divorce de leurs parents, car les émotions qui y sont associées sont profondément enfouies et pénibles à évoquer. Pour un enfant, le divorce est tout sauf banal. « Enfant, je n'existais qu'à travers le regard admiratif des autres et je n'avais plus de contact avec moi-même. » Voilà une forme de dépendance affective qui a le potentiel d'empoisonner une vie d'adulte.

« Mes parents m'aimaient tellement qu'ils se sont entretués pour moi. »

Nous n'avons jamais rencontré un enfant qui s'était senti « glorifié » par la rivalité de ses parents à son sujet. Cela n'existe pas. On ne peut prétendre aimer un enfant et attaquer l'autre parent au nom de cet amour. L'enfant finit par croire qu'il est responsable du conflit et que celui-ci n'existerait pas s'il n'était pas né. Bâtir sa personnalité sur une telle croyance génère une fragilité et une culpabilité angoissante, et ces affects peuvent durer très longtemps.

« J'ai fait un enfant pour être aimée. »

Cette jeune femme voulait compenser l'enfance difficile qu'elle avait vécue — avec des parents séparés, mais liés par un sentiment haineux — par les joies de la maternité. Elle croyait ne jamais avoir été aimée, car elle avait l'impression d'avoir toujours été invisible et de n'avoir jamais été couvée par un regard aimant ou perçue comme importante. Elle considérait la maternité comme une sorte de réparation pour cette enfance difficile. Lorsque nous l'avons rencontrée, elle vivait une profonde déception, car elle croyait maintenant que son enfant (un bébé de quelques mois) ne l'aimait pas parce qu'il pleurait tout le temps.

« J'ai vécu beaucoup de souffrance lorsque j'étais enfant, et c'est pourquoi je ne veux pas d'enfant. »

Cette jeune femme cherchait une relation d'aide : elle ne croyait plus à la solidité de la relation amoureuse et ne savait plus comment agir. Elle ne pouvait pas imaginer être parent à son tour et risquer d'exposer son enfant aux tensions conjugales et parentales qu'elle avait vécues dans sa propre famille. Ses parents avaient en effet maladroitement tenté d'harmoniser leurs espérances et leurs différences tant dans la vie commune qu'après la rupture.

« J'ai souffert du divorce de mes parents quand j'ai moi-même eu une famille. »

Ce jeune père de famille vit difficilement la mauvaise relation que ses parents entretiennent plus de vingt ans après leur séparation. À la naissance de son premier enfant, ses parents ne pouvaient pas se croiser à la maternité de l'hôpital. L'organisation du baptême était également un casse-tête insoluble. Son frère, plus fragile, s'est suicidé à l'âge de 35 ans et son père a prétendu que sa mère était la cause de ce suicide. L'anniversaire de l'enfant et les autres moments importants de l'année (Noël, son propre anniversaire, celui de la mère de l'enfant, les vacances, etc.) sont encore l'occasion d'affrontements entre ses parents.

«Adulte, j'ai voulu connaître mon autre parent.»

Privé de contacts avec son père à la suite du divorce de ses parents, Jean-Claude[5] a cherché à le retrouver une fois adulte. Cette préoccupation a été amplifiée par la naissance de son premier enfant. La vie était trop difficile à gérer en l'absence d'un modèle paternel et il savait que son père était vivant quelque part. Il savait aussi qu'une aliénation parentale efficace avait chassé son père de sa vie d'enfant et il voulait comprendre, car il avait peur de ce danger maintenant qu'il était père à son tour et que son union était remise en cause. Il voulait comprendre et cherchait avec angoisse des repères d'orientation.

«Enfant, j'ai été piégée par mes paroles.»

Cette jeune adulte se souvient très clairement d'un drame survenu peu de temps après la séparation de ses parents. Elle avait dit à son père qu'elle aimerait vivre avec lui tout le temps. C'était pour elle une façon de lui dire qu'elle l'aimait, mais pour son père, c'est devenu un projet de vie qui a entraîné une requête judiciaire pour changement de garde et une avalanche de tensions parentales dont elle s'est sentie responsable. Aujourd'hui adulte, elle a de la difficulté à verbaliser son affection.

Comment épargner nos enfants et leur avenir ?

Les facteurs de risque

Les incidents violents

La violence (lorsque la colère de l'un menace l'intégrité de l'autre) est un comportement pathologique qui ne s'inscrit pas dans la normalité de la vie. La violence vécue dans l'enfance ou dans un contexte de séparation fausse le jugement de l'adulte qui ne désire pas faire vivre cette violence à son enfant. Nous nous souvenons parfaitement de l'événement rapporté par un père qui manifestait beaucoup d'agressivité en contexte d'expertise psychosociale. Voyant que son ex-conjointe n'était pas présente à la porte d'entrée du complexe d'habitations pour accueillir sa fille de 8 ans qu'il venait reconduire, le père était reparti bruyamment avec son enfant pour s'arrêter brutalement quelques mètres plus loin, la voiture renversée sur le côté. Comme l'enfant n'a pas été blessée, le père n'a jamais accepté qu'on parle de « violence ». Nous avons par la suite compris qu'il avait lui-même connu, au moment de la séparation de ses parents, de multiples agressions violentes de la part de son père. Sa perception de la violence était dès lors faussée et elle risquait de le demeurer, car toute expression de colère inférieure à ce qu'il avait connu venant de son père n'était pas de la violence. C'est ce que l'on peut appeler un « jugement faussé » et qui demeure incorrigible même à la suite de l'accident de voiture, un événement qui ouvre pourtant la porte à une prise de conscience objective.

Les conflits persistants

Il est amplement démontré que les conflits persistants entre les parents à la suite de la séparation créent un contexte insécurisant pour l'enfant. La dépendance des enfants envers leurs parents explique en grande partie la crainte qu'ils ont de perdre un parent, voire les deux, comme guides et protecteurs de leur vie. Les enfants risquent fort d'assimiler un mauvais modèle de résolution de conflits dont ils auront beaucoup de difficulté à se défaire par la suite.

L'instabilité civique

Les déménagements multiples, qui résultent souvent des recherches infructueuses du parent pour retrouver un nouveau milieu de vie, mobilisent toutes les capacités d'adaptation de l'enfant et brisent les liens relationnels (changement d'amis, d'école, de loisirs et parfois de langue et de culture).

La perte des liens sociaux

La perte des liens sociaux est directement liée à l'instabilité civique et accroît le risque que l'adulte se montre superficiel dans ses relations. Marqué par une idéologie de perte, celui-ci peut se réfugier dans la superficialité dans ses relations avec les autres. Cette superficialité, par sa faiblesse d'attachement, représente un abri contre des déceptions et des peines profondes.

Les difficultés financières

La séparation entraîne très souvent une augmentation du « coût de la vie » et une diminution des capacités économiques de chacun des parents. Il en résulte parfois un état de pauvreté pour les enfants et ce changement de niveau de vie est difficilement vécu, surtout à l'adolescence. L'enfant risque, une fois adulte, de se lancer dans un travail acharné pour se mettre à l'abri de cet inconfort ou de chercher la fuite dans la drogue, l'alcool, etc.

La perturbation des capacités parentales

Il existe un risque que les adultes, surchargés de responsabilités au moment de la séparation, ne « voient » pas leur enfant et ne lui portent pas autant d'attention qu'à l'habitude. L'enfant peut alors souffrir d'un sentiment de dévalorisation qui l'amène à développer une faible estime de lui-même. « On parlait de moi comme on parlait des meubles à partager », témoignait l'un de ces enfants.

Les partenaires multiples

Le cycle d'investissements et de désinvestissements émotifs que vivent les enfants dont les parents sont en recherche d'un partenaire stable peut réduire la pulsion inhérente aux humains de former un couple et de développer des liens d'attachement durables.

La perte de contact avec un parent

Certains parents se désintéressent de leur enfant et disparaissent. Il est souvent plus facile d'accepter la mort du parent que cette perte qui, par sa réversibilité possible, crée un espoir de retour qui est déçu jour après jour. L'enfant se met alors à douter de sa valeur et de son importance. Les humains, grégaires par nature, sont fortement fragilisés par le sentiment de rejet qui résulte de la disparition d'une figure parentale. Dans d'autres cas, le parent discrédité par l'autre finit par disparaître : ce parent « victime » risque de devenir un parent idéal si la question adressée au parent qui a fait fuir l'autre — « Pourquoi m'as-tu empêché de connaître mon autre parent ? » — ne reçoit pas de réponse satisfaisante. L'enfant, marqué par une idéologie de rattrapage, risque de chercher à retrouver cet autre parent une fois adulte. Beaucoup de temps et d'énergie auront été consacrés à faire le deuil de cette perte de contact.

La perte de sécurité

Il est facile de penser qu'un enfant qui a perdu sa sécurité dans la tourmente de la séparation aura de la difficulté à vivre au présent et à envisager l'avenir. Il y a alors de fortes chances que l'enfant choisisse de vivre dans le passé pendant un certain temps.

Les facteurs de protection

Reconnaître l'importance des deux parents pour l'enfant

Toute relation significative contribue de façon unique au développement de l'enfant. Les relations les plus significatives sont celles qu'il entretient avec chacun de ses parents. Quelle que soit l'opinion que vous avez de l'autre famille, votre enfant en fait partie. Les parents enrichissent chacun à leur façon leur enfant, qui a besoin de ces modèles pour se développer et actualiser sa puissance. La mère sécurise généralement son enfant tandis que le père lui apporte le goût du risque : il est idéal de pouvoir à la fois jouir de la sécurité du port maritime et d'être séduit par la navigation en mer. Être regardé avec affection par ses deux parents est une bonne base pour garantir le développement d'une bonne image et d'une bonne estime de soi.

La coparentalité

On appelle « coparentalité » la relation de coopération qui s'installe entre les parents après la rupture. Cette coopération permet souvent de protéger l'enfant des trois plus grands dangers qui le menacent à la suite de la séparation de ses parents, c'est-à-dire :

- Les incessantes tensions parentales ;
- La pauvreté ;
- La perte de relation avec l'un des parents (qui disparaît complètement ou partiellement de la vie de l'enfant).

Aucun enfant n'est mieux préparé à vivre sa vie que celui dont les parents coopèrent pour assurer son avenir. Cette coopération est compatible avec n'importe quel type d'arrangement de garde.

Le plan parental

Le plan parental est une série d'engagements consentis entre les parents, une sorte de cadre que l'on se donne pour garantir à nos enfants un avenir meilleur. Nous savons que les engagements consentis sont aussi des engagements compris, ce qui crée un contexte beaucoup plus stable que les règles imposées par la Cour.

Parler de la séparation à nos enfants

La satisfaction du besoin de comprendre est très importante pour l'équilibre des adultes en devenir. Il faut expliquer la séparation aux enfants en tenant compte de leur âge. Avant l'adolescence, il faut surtout être attentif aux questions des enfants sur ce thème et leur faire préciser leurs attentes. Avec les adolescents, on peut aborder la part de responsabilité qui revient individuellement à chacun dans la séparation pour respecter leur conviction qu'ils sont déjà de grandes personnes. On leur donnera ainsi une formidable leçon de vie en leur montrant, entre autres choses, que l'adulte est capable de comprendre ce qui lui arrive et que c'est la meilleure solution pour éviter la répétition d'événements difficiles et non souhaités.

Voici à ce quoi pourrait ressembler un plan parental :

- Dans la mesure du possible, les parents conviennent de ne pas déménager loin l'un de l'autre afin de ne pas compromettre les arrangements de garde et l'accès de l'enfant à chacun de ses parents.
- Les parents décident ensemble des loisirs principaux de l'enfant en s'assurant qu'ils ne nuiront pas à l'accès de l'enfant à ses parents.
- Les parents prévoient l'organisation des vacances estivales au plus tard le 1er mai de chaque année.
- Les parents s'entendent sur une organisation de garde tout en sachant qu'il faudra en trouver une autre si l'enfant ne parvient pas à s'y adapter.
- Les parents prévoient des mécanismes de gestion de crise. Par exemple, ils décident d'éviter de se parler ou de s'écrire lorsqu'ils sont en colère l'un contre l'autre et de toujours rester polis l'un envers l'autre. Les parents devraient aussi convenir de recourir à la médiation familiale en cas d'impasse majeure.

En résumé

Plus que la séparation, c'est la façon dont celle-ci est vécue qui a une incidence sur les enfants et les adultes qu'ils deviendront. Ce sont généralement les tensions parentales qui n'en finissent plus qui affectent le plus les enfants du divorce et leur avenir.

Ainsi, les adultes qui, enfants, ont subi le divorce de leurs parents éprouvent parfois certains problèmes au cours de leur développement:

- Ils cherchent à réussir là où les grands ont échoué et vivent encore plus durement la faillite de leur relation de couple.
- Ils ont de la difficulté à faire confiance.
- Ils sont animés d'un désir de réparation.
- Leur estime de soi est affectée.
- Ils craignent le changement.
- Ils ont de la difficulté à nouer des liens sociaux.

Il est cependant possible de réussir son divorce. Une crise limitée dans le temps, la préservation de la relation parentale qui n'est pas emportée avec la fin du couple et le maintien d'une communication efficace entre les parents concourent en effet à ce que l'on peut appeler «la réussite du divorce». Même si cette épreuve demeure un passage difficile pour les enfants, nous pouvons concevoir que la séparation d'un couple qui ne fonctionne plus soit une bonne nouvelle et qu'on puisse vivre mieux après qu'avant. Ainsi, la séparation, bien que difficile à vivre, ne risque pas de compromettre l'avenir des enfants.

Notes

1. Directrice du Centre de recherche sur l'adaptation des jeunes et des familles à risque (JEFAR), Université Laval. Cette recherche s'appuie sur les résultats du mémoire de maîtrise d'Annie Vaillancourt, dont la direction a été assurée par Marie-Christine Saint-Jacques.
2. Nous avons utilisé l'italique pour faire part de nos hypothèses.
3. *Idem.*
4. *Idem.*
5. Nom fictif.

CONCLUSION

Notre objectif premier était d'offrir des renseignements aux parents en voie de rupture ou déjà séparés afin de les aider à garder espoir et à mettre le cap sur la recherche de solutions. Il est vrai que les ruptures sont plus fréquentes aujourd'hui, mais les hommes et les femmes n'ont pas cessé d'aimer, de rêver, de créer et de briser des liens. C'est le grand cycle de la vie familiale.

En dépit de tous les changements qui affectent la famille, une chose est certaine : l'affection d'un parent envers son enfant traverse le temps et permet de braver bien des tempêtes. L'amour des parents est sûrement ce qui aide le plus l'enfant à s'adapter à la séparation. Il en est de même pour chacun des parents. L'affection de l'enfant permet souvent aux parents de faire face à l'échec de la relation de couple.

L'autre élément, tout aussi fondamental, consiste à pouvoir compter sur l'autre parent. L'enfant a besoin de ses deux parents et de deux modèles différents, et chacun des parents a aussi besoin du complément que représente l'autre parent.

Nous avons aussi voulu mettre à profit l'expérience et les leçons apprises par de nombreux parents et enfants qui ont vécu et « survécu » à ce bouleversement. Ils vous diront que la rupture a été une source incroyable de dépassement et qu'elle les a obligés à puiser dans des ressources jusque-là inconnues.

Que trouve-t-on au bout du couloir de la séparation ? De la lumière et deux maisons, souvent fort différentes quoique complémentaires. Habiter deux maisons, cela signifie souvent pour l'enfant avoir deux « chez-soi » qui sont tout aussi importants l'un que l'autre.

Derrière le blâme, la colère, la peine et la frustration, les conjoints, devenus des « ex », ont le cœur meurtri, mais ils ont été capables de se remettre sur pied et de panser leurs blessures. Ils sont toujours capables d'aimer et l'amour de leur enfant est encore plus grand qu'avant.

Ils vous diront que la peine ne s'efface pas, mais qu'elle s'atténue avec le temps. De plus, l'intensité et la multiplicité des changements auront été pour plusieurs une source de croissance.

Si vous doutez ou avez douté, à un certain moment, de votre décision de rupture, sachez que d'autres l'ont fait avant vous. Sachez aussi que vous avez pris ou que vous prendrez la décision qui vous semble la meilleure. Douter et continuer d'avancer, accepter de se tromper, inventer et recommencer, voilà quelques-unes des leçons qu'ont apprises les parents et les enfants dont nous avons croisé la route. Il s'agit d'un message d'espoir et d'amour pour continuer à créer des familles nouvelles.

Annexe

Les activités du groupe Confidences

Centre jeunesse de Montréal

par Lorraine Filion

Voici un aperçu des activités du groupe Confidences à l'intention des parents intéressés à en savoir davantage sur ce type d'initiative. Le groupe s'adresse particulièrement aux enfants de 6 à 12 ans. Ils sont divisés en deux groupes distincts : les 6-9 ans et les 10-12 ans. Il est à noter que des enfants un peu plus jeunes (5 ans) et un peu plus vieux (13 et même 14 ans) y ont participé et en ont retiré des bénéfices.

Le déroulement des rencontres

Les rencontres sont planifiées avec le souci de créer une ambiance qui favorise la liberté d'expression tout en respectant le retrait, la gêne, l'embarras et le rythme personnel de l'enfant. L'enfant n'est jamais obligé de parler ou de participer à une activité.

Dans cette perspective, l'essentiel du rôle des animateurs consiste à soutenir, à respecter et à encourager l'enfant à exprimer sa réalité par le dessin, le théâtre avec marionnettes, l'improvisation, le jeu de rôle, le mime, les exercices d'écriture, la parole ou le silence.

Les principales tâches de l'animateur consistent à créer et à conserver un climat favorisant une expression libre; à inciter l'enfant à respecter ce que lui-même et les autres enfants font et présentent; à l'encourager à communiquer sa réalité, ses préoccupations, ses centres d'intérêt, ses petits bonheurs et ses malheurs.

Les activités nécessitent peu de matériel et ne demandent pas de compétences particulières, car les enfants de 6 à 12 ans sont des créateurs naturels. On utilise du papier, des crayons, un tableau et des craies pour faire des jeux, de l'écriture et du dessin. Le local est aménagé pour que l'enfant puisse faire une activité individuelle ou collective en fonction de l'état d'esprit dans lequel il se trouve et de son rythme d'intégration.

Une période de détente de quinze minutes est prévue à chaque rencontre. Ce moment joue un rôle crucial qui avait été sous-estimé au départ. Les enfants l'apprécient pour plusieurs raisons:

- Ils mangent de bonnes choses.
- Ils ont du plaisir à se raconter des histoires et des blagues.
- Ils parlent de leurs projets (l'école, les amis, les animaux préférés, les parents).
- Ils se comparent, se consolent et tissent des liens d'amitié.

Les activités

Les deux activités principales sont le dessin et l'expression dramatique. Par le dessin, l'enfant peut exprimer son monde intérieur, laisser libre cours à son imagination et extérioriser certains sentiments. Le dessin crée aussi des occasions de partage et de valorisation. Il permet à l'enfant de connaître, de nommer et d'exprimer ses sentiments sous différentes formes et couleurs. L'enfant peut ainsi exprimer sa colère, sa joie, sa culpabilité et en discuter ensuite avec les autres. Il prend alors conscience qu'il n'est pas seul à vivre ces sentiments.

On reconnaît de plus en plus les effets cathartiques[1] bienfaisants de l'expérimentation et de l'exploration affective associées à l'expression dramatique (jeu de rôle, théâtre, marionnettes). Les jeunes enfants y trouvent un moyen d'expression et d'apprentissage social très familier, car les jeux de rôle font partie de leurs inventions quotidiennes. En général, les enfants adorent faire du théâtre. Si certains enfants ne jouent pas (ils sont rares), ils sont souvent d'excellents spectateurs.

Les plus vieux (10-12 ans) raffolent de l'improvisation. Chacun est appelé à se costumer (des vêtements prévus à cet effet leur permettent de se déguiser en père, avec cravate et casquette, ou en mère, avec robe, chapeau et sacoche). Les jeunes jouent des scènes prévues à l'avance et choisies en fonction des besoins de chaque groupe.

La dernière rencontre du groupe

À l'occasion de la dernière rencontre, les enfants sont invités à faire un bilan sous la forme d'une lettre collective destinée aux parents (groupe des 6-9 ans) ou d'une improvisation devant les parents (groupe des 10-12 ans). Ils sont aussi invités à faire un dessin pour papa et maman ; il s'agit d'une production libre qui constitue un message sur le thème de la séparation. Les deux parents sont présents : cela constitue généralement un très beau cadeau pour l'enfant.

Cette dernière rencontre se déroule bien malgré les appréhensions des enfants et des parents. En effet, dans chaque groupe, il y a toujours des enfants qui craignent que la rencontre de leurs deux parents ne devienne une occasion de dispute. Certains parents éprouvent aussi un malaise en présence de l'autre, mais ils acceptent de venir pour répondre au désir et au besoin de leur enfant.

Les parents sont le plus souvent accueillis avec chaleur, affection et enthousiasme par leur enfant. La présentation des dessins, la lecture de la lettre collective ou l'improvisation sont des moments chargés d'émotion, de plaisir et de tristesse. Les parents se montrent exceptionnellement réceptifs, même devant les remontrances et les blâmes de leur enfant. C'est une belle occasion pour eux de lui redire à quel point ils l'aiment et de lui communiquer directement un message d'espoir et d'affection. Après avoir entendu la parole de leur enfant, les parents sont invités à répondre sous la forme d'une lettre collective.

Il s'agit pour eux d'une occasion d'échange, d'entraide et de soutien. Un parent lit ensuite la lettre aux enfants. Ceux-ci se montrent très attentifs et silencieux durant la lecture. Ils se tiennent généralement très près de leurs parents ou s'assoient entre les deux.

Les lettres des enfants et des parents se suivent et se ressemblent. On y parle d'amour et de peine, des besoins et des attentes des familles en transition.

Le groupe des 10-12 ans fait souvent une improvisation sur le vécu d'un enfant pris dans un conflit de loyauté. Les enfants représentent d'abord la situation problématique (qui ressemble à leur vécu habituel). Puis, à l'invitation de l'animateur, ils illustrent des pistes de solution qui seront reprises plus tard comme des solutions à la portée de tous les parents (consulter un médiateur, utiliser un cahier de communication, éviter de dénigrer l'autre parent, arrêter de se disputer devant l'enfant, accepter d'être plus souple dans l'horaire des contacts, etc.).

Les parents sont souvent ébahis par la performance théâtrale des enfants et les félicitent. Il arrive presque toujours que des parents prennent la parole pour dire que les faits illustrés sont malheureusement véridiques. Certains présentent même leurs excuses à leur enfant et d'autres s'engagent à agir autrement.

Les suites du groupe

Afin de mieux répondre aux besoins des familles, nous offrons aux deux parents une rencontre plus personnalisée pour dresser un bilan de la participation de leur enfant au groupe dans les semaines qui suivent la fin des rencontres. L'enfant est presque toujours présent à cet entretien, à moins qu'il ait demandé expressément à ne pas l'être. Dans ce cas, il aura toutefois transmis au préalable à l'animateur ce qu'il souhaite communiquer à ses parents. Certains renseignements resteront confidentiels afin de respecter les désirs de l'enfant.

Au fil des ans, l'expérience a montré que l'entrevue avec les parents et l'enfant à l'issue des rencontres avait un impact important sur la prise en compte des besoins de l'enfant. Certains parents cessent ainsi d'utiliser leur enfant comme messager pour compenser l'absence de communication entre eux. D'autres parents profitent de ce moment pour mieux informer l'enfant du motif de leur séparation ou pour revoir le partage des responsabilités parentales afin de parvenir à une certaine harmonie familiale. Des contacts supplémentaires entre le parent non gardien et l'enfant sont parfois mis en place. Des parents acceptent de passer plus de temps seuls avec leur enfant sans la présence constante de leur nouveau conjoint ou prennent en considération la demande de leur enfant plus âgé de faire des activités différentes et seul à seul avec le parent sans la présence continuelle de leur frère ou sœur plus jeune. Certains parents acceptent de faire les efforts nécessaires pour éviter les disputes au téléphone ou en direct avec l'autre parent devant l'enfant. Enfin, d'autres parents s'engagent à ne plus parler en mauvais termes de l'autre parent devant l'enfant.

Les résultats du groupe

Deux études ont été réalisées[2] à propos du groupe Confidences, l'une en 1999 (Vallant) et l'autre en 2008 (Bocherel). Au total, ces études ont porté sur 85 groupes parmi ceux qui ont été suivis entre 1991 et 2008.

Les résultats de ces études démontrent quatre faits particulièrement marquants :

- Pour 88,4 % des parents, ce groupe devrait être recommandé à d'autres enfants qui vivent une séparation, car il permet à l'enfant de s'exprimer dans un lieu neutre, de mieux comprendre la séparation, d'identifier et de résoudre les problèmes liés à la rupture de ses parents et de partager ses impressions avec d'autres enfants qui vivent des problèmes similaires.
- 63,4 % des parents estiment que le groupe leur a permis de mieux comprendre les besoins de leur enfant. L'expression des enfants a été bonifiée par l'animatrice du groupe, qui leur a permis de verbaliser leurs émotions dans un discours facilement compréhensible pour leurs parents.
- 93 % des enfants ont dit avoir aimé participer à ce groupe.
- 92,9 % des enfants ont déclaré que ce qui les avait le plus aidés était d'avoir pu parler de la rupture à une personne neutre et de savoir qu'ils n'étaient pas les seuls à vivre des difficultés.

Notes

1. La catharsis est une méthode psychothérapeutique qui repose sur la décharge émotionnelle liée à l'extériorisation du souvenir d'événements traumatisants et refoulés.
2. VALLANT, P. *Rapport d'étude de l'appréciation des parents et des enfants bénéficiaires du groupe Confidences.* Septembre 1999, rapport non publié.
3. BOCHEREL, F. *Rapport d'étude de l'appréciation des parents et des enfants bénéficiaires du groupe Confidences.* Février 2008, rapport non publié.

Bibliographie

Ahrons, C.R. et R.B. Miller. « The effect of the post-divorce relationship on paternal involvement : A longitudinal analysis ». *American Journal of Orthopsychiatry* 1993 63 :441-450.

Bacon, B. et B. McKenzie. *Les meilleures pratiques dans le domaine des programmes d'information et d'éducation pour les parents touchés par la séparation et le divorce.* Winnipeg : Groupe de recherche des Services à l'enfant et à la famille, Faculté de travail social, Université du Manitoba, 2001.

Baker, A.J.L. « Parent alienation strategies : A qualitative study of adult who experienced parental alienation as a child ». *American Journal of Forensic Psychology* 2005 23:41-64.

Barry, S. « La place de l'enfant dans les transitions familiales ». *Apprentissage et socialisation* 1988 13:27-37.

Bauserman, R. « Child adjustment in joint-custody versus sole-custody arrangements : A meta-analytic review ». *Journal of Family Psychology* 2002 16 :91-102.

Beaudry, M., A. Beaudoin, R. Cloutier et J.-M. Boisvert. « Étude sur les caractéristiques associées au partage des responsabilités parentales à la suite d'une séparation ». *Revue canadienne de service social* 1993 10 :9-26.

Beaudry, M. *Le partage des responsabilités parentales à la suite d'une séparation.* Québec : Laboratoire de recherche, École de service social, Université Laval, 1991.

Beaujot, R. et A. Bélanger. *Perspectives on Below Replacement Fertility in Canada : Trends, Desires and Accomodations.* London : London Population Studies Centre, University of Western Ontario, 2001. www.ssc.uwo.ca/sociology/popstudies/dp/dp01-6.pdf [consulté le 14 février 2012].

BERGER, L., P. BROWN, E. JOUNG, M. Melli et L. WIMER. « Stability of child physical placements after divorce ». *Marriage and Family* 2008 70 :273-283.

BOCHEREL, F. *Rapport d'étude de l'appréciation des parents et des enfants bénéficiaires du groupe Confidences.* Février 2008 [rapport non publié].

BONACH, K. « Factors contributing to quality coparenting: Implications for family policy ». *Journal of Divorce and Remarriage* 2005 43 :79-103.

BOUCHARD, G., C.M. LEE, V. ASGARY et L. PELLETIER. « Fathers' motivation for involvement with their children : A self-determination theory perspective ». *Fathering* 2007 5:25-41.

CABRERA, N.J., C.S. RAMIS-LEMONDA, R.H. BRADLEY, S. HOFFERTH et M.E. LAMB. « Fatherhood in the twenty-first century ». *Child Development* 2000 71 :127-136.

CADOLLE, S. *Familles recomposées: un défi à gagner.* Paris: Hachette Livre Marabout, 2006.

CAREAU, L. et R. CLOUTIER. « La garde de l'enfant après la séparation : profil psychosocial et appréciation des familles vivant trois formules ». *Apprentissage et socialisation* 1990 13:55-66.

CASHMORE, J., P. PARKINSON et A. TAYLOR. « Overnight stays and children's relationships with resident and non-resident parents after divorce ». *Journal of Family Issues* 2008 29 :707-733.

CASTELLI, M.D. et D. GOUBAU. *Le droit de la famille.* Québec : Presses de l'Université Laval, 2005.

CLOUTIER, R. *Évolution de la garde et de l'ajustement de l'enfant après la séparation parentale.* Québec : Centre de recherche sur les services communautaires, 1995.

CLOUTIER, R. « Le syndrome d'aliénation parentale en contexte de conflit sur la garde de l'enfant ». *Psychologie Québec*, mars 2006 28-31.

Cloutier, R., M. Beaudry, S. Drapeau, C. Samson, G. Mireault, M. Simard *et al.* « Changements familiaux et continuité : une approche théorique de l'adaptation aux transformations familiales », dans G.M. Tarabulsy et R. Tessier (dir.). *Enfance et famille : contextes et développement.* Québec : Presses de l'Université du Québec, 1997, pp. 28-56.

Cloutier, R., C. Bissonnette, J. Ouellet-Laberge et M. Plourde. « Monoparentalité et développement de l'enfant », dans M.-C. Saint-Jacques, D. Turcotte, S. Drapeau et R. Cloutier (dir.). *Séparation, monoparentalité et recomposition familiale.* Québec : Presses de l'Université Laval, 2004.

Cloutier, R., P. Gosselin et P. Tap. *Psychologie de l'enfant.* 2e éd. Montréal : Gaëtan Morin Éditeur, 2005.

Cloutier, R. et C. Jacques. « Evolution of residential custody arrangements in separated families : A longitudinal study ». *Journal of Divorce and Remarriage* 1997 28 :17-33.

Comité mixte spécial sur la garde et le droit de visite des enfants. *Pour l'amour des enfants.* Ottawa : Chambre des Communes, 1998.

Comité de suivi sur l'implantation de la médiation familiale. *Troisième rapport d'étape présenté au ministre de la Justice et procureur général, Monsieur Jacques P. Dupuis*, le 25 avril 2008.

Côté, D. « D'une pratique contre-culturelle à l'idéal-type : la garde partagée comme phénomène social ». *Revue québécoise de psychologie* 2006 27 :13-32.

Desrosiers, H. et M. Simard. *Diversité et mouvance familiales durant la petite enfance* - Étude longitudinale du développement des enfants du Québec (ELDEQ 1998-2010). Québec : ISQ, 2010.

Dolto, F. *Quand les parents se séparent.* Paris : Éditions du Seuil, 1988.

DRAPEAU, S., M.-H. GAGNÉ et R. HÉNAULT. « Conflits conjugaux et séparation des parents », dans M.-C. SAINT-JACQUES, D. TURCOTTE, S. DRAPEAU et R. CLOUTIER (dir.). *Séparation, monoparentalité et recomposition familiale.* Québec : Presses de l'Université Laval, 2004.

DUBEAU, D, A. DEVAULT et G. FORGET. *La paternité au XXIe siècle.* Québec : Presses de l'Université Laval, 2009.

DULAC, G. « Rupture d'union et déconstruction du lien père-enfant ». *PRISME* 1995 5 :300-312.

DUMONT, C. et D. PAQUETTE, D. « Attachement père-enfant et engagement paternel : deux concepts centraux du développement de l'enfant ». *Revue de psychoéducation* 2008 37 :27-46.

ÉDUCALOI. *La garde et les droits d'accès.* 2011. www.educaloi.qc.ca/loi/parents/334/ [consulté le 15 février 2012].

FABRICIUS, W., S. BRAVER, P. DIAZ et C. SCHENCK. « Custody and parenting time », dans M.E. LAMB (dir.). *The Role of the Father in Child Development.* New York : John Wiley and Sons, 2010, pp. 201-241.

FIDLER, J.B. et N. BALA. « Children resisting post-separation contact with a parent : concepts, controversies, and conundrums ». *Family Court Review* 2010 48 :10-47.

FORTIN, P. « Principaux changements économiques impliquant les familles et les enfants au Québec depuis 20 ans ». Communication présentée à l'occasion du 20e anniversaire du rapport *Un Québec fou de ses enfants.* Montréal : UQAM, octobre 2011.

FRIEDLANDER, S. et M.G. WALTERS. « When a child rejects a parent : Tailoring the intervention to fit the problem ». *Family Court Review* 2010 48 :97-110.

GAGNÉ, M-H., DRAPEAU, S. et R. HÉNAULT. « L'aliénation parentale : un bilan des connaissances et des controverses ». *Psychologie canadienne* 2005 46 :73-87.

GALARNEAU, D. et J. STUUROK. *Le revenu familial après la séparation.* Ottawa : Statistique Canada. N° de catalogue 13-588-5, mars 1997.

GARBER, B.D. « Parental alienation and the dynamics of the enmeshed parent-child dyad : Adultification, parentification, and infantilization ». *Family Court Review* 2011 49 :322-335.

GARDNER, R.A. « Parental alienation syndrome vs. parental alienation : Which diagnosis should evaluators use in child custody disputes? » *American Journal of Family Therapy* 2002 30 :93-115.

GAUDET, J. et A. DEVAULT. « Quelles sont les conditions associées à une bonne adaptation au rôle paternel post-rupture ? Parcours paternels et points de vue de pères ». *Revue canadienne de santé mentale communautaire* 2006 25 :17-32.

GAUDET, J., A. DEVAULT et C. BOUCHARD. « Le maintien de l'exercice du rôle paternel après une rupture conjugale : obstacles et facilitateurs ». *Revue de psychoéducation* 2005 34(1):21-40.

GOODMAN, J. « Paternal postpartum depression, its relationship to maternal depression, and its implications for family health ». *Journal of Advanced Nursing* 2004 45 :26-35.

GOUIN, É.-M. « Ces enfants qui ne veulent plus voir un parent : solutions judiciaires et psychosociales ». *Revue scientifique AIFI* 2008 2(2).

GUILMAINE,C. *Vivre une garde partagée. Une histoire d'engagement parental.* Montréal : Éditions du CRAM et Éditions du CHU Sainte-Justine, 2009.

HARTMAN, L., L. MAGALHÄES et A. MANDICH. « What does parental divorce or marital separation mean for adolescents? A scoping review of North American literature ». *Journal of Divorce and Remarriage* 2011 52 :490-518.

HETHERINGTON, E.M. « Should we stay together for the sake of the children? », dans E.M. Hetherington (dir.). *Coping with Divorce, Single Parenting and Remarriage : A Risk and Resiliency* Perspective. Mahwah, N.J. : Lawrence Erlbaum, 1999, p. 94.

HETHERINGTON, E.M., M. BRIDGES et G.M. INSABELLA. « What matters? What does not? Five perspectives on the association between marital transitions and children's adjustment ». *American Psychologist* 1998 53 :167-184.

HOLMES, T. et R. RAHE. « The Social Readjusment Rating Scale ». *Journal of Psychosomatic Research*, 1967.

INSTITUT DE LA STATISTIQUE DU QUÉBEC. *La monoparentalité dans la vie des jeunes enfants québécois : une réalité fréquente mais souvent transitoire.* Québec : ISQ, 2008. www.stat.gouv.qc.ca/publications/sante/pdf2008/portrait_oct08monoparent.pdf [consulté le 15 février 2012].

INSTITUT DE LA STATISTIQUE DU QUÉBEC. *Proportion de naissances hors mariage selon le rang de naissance, Québec, 1976-2010*, 2011. www.stat.gouv.qc.ca/donstat/societe/demographie/naisn_deces/naissance/5p2.htm [consulté le 14 février 2012].

INSTITUT VANIER DE LA FAMILLE. *La famille compte - Profil des familles canadiennes.* Ottawa : IVF, 2010.

JAFFE, P.G., D. ASHBOURNE et A.A. MAMO. « Early identification and prevention of parent–child alienation : A framework for balancing risks and benefits of intervention ». *Family Court Review* 2010 48 :136-152.

JOHNSTON, J.R. « Parental alignments and rejection : An empirical study of alienation in children of divorce ». *Journal of the American Academy of Psychiatry and Law* 2003 31 :158-170.

JOHNSTON, J.R. « A child-centered approach to high conflict and domestic violence families : Differential assessment and interventions ». *Journal of Family Studies* 2006 12:15-36.

JOHNSTON, J.R. et J.R. GOLDMAN. « Outcomes of family counselling interventions with children who resist visitation : An addendum to Friedlander and Walters ». *Family Court Review* 2010 42 :112-115.

JUBY, H., J.M. BILLETTE et C. LEBOURDAIS. « Nonresident fathers and children ». *Journal of Family Issues* 2007 28 :1220-1245.

Kelly, J.B. « Developing beneficial parenting plan models for children following separation and divorce ». *Journal of the American Academy of Matrimonial Law* 2005 19 :237-257.

Kelly, J.B. « Children's living arrangements following separation and divorce : Insights from empirical and clinical research ». *Family Process* 2007 46 :35-52.

Kelly, J.B. et J.R. Johnston. « The alienated child : A reformulation of parental alienation syndrome ». *Family Court Review* 2001 39 :249-266.

Lamb, M.E. *The Role of the Father in Child Development.* Hoboken, N.J. : John Wiley and Sons, 1997.

LeBourdais, C., J. Heather et N. Marcil-Gratton. « Keeping in touch with children after separation : The point of view of fathers ». *Canadian Journal of Community Mental Health* 2002 (Suppl. no 4) :109-130.

Le Camus, J. *Le vrai rôle du père.* Paris : Odile Jacob, 2000.

Lemay, M. *Famille, qu'apportes-tu à l'enfant ?* Montréal : Éditions du CHU Sainte-Justine, 2001.

Maccoby, E.E. et R.H. Mnookin. *Dividing the Child : Social and Legal Dilemmas of Custody.* Cambridge : Harvard University Press, 1992.

Madden-Derdich, D.A. et J. Arditti. « The ties that bind : Attachment between former spouses ». *Family Relations* 1999 48 :243-249.

Marcil-Gratton, N. *Grandir avec maman et papa ? Les trajectoires familiales complexes des enfants canadiens.* Statistique Canada. N° de catalogue 89-566XIF, août 1998.

Marcil-Gratton, N. et C. LeBourdais. *Garde des enfants, droits de visite et pension alimentaire : Résultats tirés de l'Enquête longitudinale nationale sur les enfants et les jeunes* (ELNEJ). Rapport présenté au ministère de la Justice du Canada (rapport n° CSR-1999-3F), 1999.

MASHETER, C. « Healthy and unhealthy friendship and hostility between ex-spouses : The role of attachment and interpersonal conflict ». *Journal of Marriage and the Family* 1997 53 :103-110.

Ministère de la Famille et des Aînés. Un portrait statistique des familles au Québec. Québec : 2011.
www.mfa.gouv.qc.ca/fr/Famille/portrait-famille-quebecoise/statistique/pages/index aspx[consulté le 14 février 2012].

NICHOLSON, J.S., K.S. HOWARD et J.G. BORKOWSKI. « Mental models for parenting : Correlates of metaparenting among fathers of young children ». *Fathering* 2008 6:39-61.

NIELSEN, L. « Divorced fathers and their daughters : A review of recent research ». *Journal of Divorce and Remarriage* 2011 52 :77-93.

NIELSEN, L. « Shared parenting after divorce : A review of shared residential parenting research ». *Journal of Divorce and Remarriage* 2011 52 :586-609.

OPPO, A. *et al.* « Risk factors for postpartum depression : The role of the Postpartum Depression Predictors Inventory-Revised (PDPI-R) ». *Archives of Women's Mental Health* 2009 12 :239-249.

PALKOVITZ, R. et G. PALM. « Transitions within fathering ». *Fathering* 2009 7:3-22.

PAQUETTE, D. « La relation père-enfant et l'ouverture au monde ». *Enfance* 2004 2 :205-225.

PAQUETTE, D. « Perspectives nouvelles sur l'attachement à partir d'études sur les problèmes extériorisés des enfants ». *Revue de psychoéducation* 2007 36 :279-288.

PAQUETTE, D. « Les pères n'ont pas à imiter les mères. *Journal Forum*, Université de Montréal, 29 mars 2010.

PAQUETTE, D., D. DUBEAU et A. DEVAULT. « L'engagement paternel, un concept aux multiples facettes », dans D. DUBEAU, A. DEVAULT et G. FORGET. *La paternité au XXIe siècle*. Québec : Presses de l'Université Laval, 2009.

PARENT, C., S. DRAPEAU, M. BROUSSEAU et E. POULIOT. *Visages multiples de la parentalité.* Québec : Presses de l'Université du Québec, 2008.

PAULSON, J. et S.D. BAZEMORE. « Prenatal and postpartum depression in fathers and its association with maternal depression ». *Journal of the American Medical Association* 2010 303 :1961-1969.

PERIS, T.S. et R.E EMERY. « Redefining the parent-child relationship following divorce : Examining the risk for boundary dissolution ». *Journal of Emotional Abuse* 2005 5 :169-189.

PEARSON, J. et N. THOENNES. « Custody after divorce : Demographic and attitudinal patterns ». *American Journal of Orthopsychiatry* 1990 60 :233-249.

PIÉRARD, B., R. CLOUTIER, C. JACQUES et S. DRAPEAU. « Le lien entre la séparation parentale et le comportement de l'enfant : le rôle du revenu familial ». *Revue québécoise de psychologie* 1994 15(3):87-108.

POUSSIN, G. Extrait du programme de formation de deux jours offert aux experts et médiateurs par l'Association des Centres jeunesse du Québec. Montréal, Québec, 28-29 avril 2006.

QUÉNIART, A. et N. ROUSSEAU. « L'exercice de la paternité à la suite d'un divorce : un parcours semé d'obstacles », dans M.-C. SAINT-JACQUES, D. TURCOTTE, S. DRAPEAU et R. CLOUTIER (dir.). *Séparation, monoparentalité et recomposition familiale.* Québec : Presses de l'Université Laval, 2004.

SAINT-JACQUES, M.-C. « Grandir auprès de parents séparés en conflits persistants : des femmes racontent leur expérience de triangulation ». *Intervention* 2008 129.

SAINT-JACQUES, M.-C., A. POULIN, C. ROBITAILLE et I. POULIN. « L'adaptation des enfants et des adolescents de familles recomposées », dans M.-C. SAINT-JACQUES, D. TURCOTTE, S. DRAPEAU et R. CLOUTIER (dir.). *Séparation, monoparentalité et recomposition familiale.* Québec : Presses de l'Université Laval, 2004.

SANO, Y., S. SMITH et J. LAIGAN. « Predicting presence and level of non resident fathers' involvement in infants' lives : mothers' perspectives ». *Journal of Divorce and Remarriage* 2011 52:350-368.

SIGEL, A., I. SANDLER, S. WOLCHIK et S. BRAVER. « Do parent education programs promote healthy post-divorce parenting? Critical distinctions and a review of the evidence ». *Family Court Review* 2011 49:120-139.

SIMARD, M. et M. BEAUDRY. « Conséquences de la séparation conjugale sur les pères, les mères et les enfants. Réflexions pour la politique familiale », dans R.-B. DANDURAND, P. LEFEBVRE ET J.-P. LAMOUREUX. *Quelle politique familiale à l'aube de l'an 2000?* Paris/Montréal : L'Harmattan, 1998.

STATISTIQUE CANADA. *Évolution du temps de travail et des gains des parents au Canada.* Bulletin d'octobre 2009. www.statcan.gc.ca/daily-quotidien/091023/dq091023a-fra.htm [consulté le 14 février 2012].

STATISTIQUE CANADA. *Taux d'emploi des femmes ayant des enfants, selon l'âge du plus jeune enfant, 1976 à 2009.* 2011. www.statcan.gc.ca/pub/89-503-x/2010001/article/11387/tbl/tbl006-fra.htm [consulté le 26 février 2012].

THÉRY, I. « Évolution des structures familiales : les enjeux culturels du démariage ». Communication présentée dans le cadre du colloque *Transitions familiales, conjugalité, parentalité.* Québec : Centre de recherche sur les services communautaires, Université Laval, 1994.

TIMMERMANS, H. Communication personnelle, Service d'expertise et de médiation familiale du Centre Jeunesse de Montréal, 2000.

TIMMERMANS, H. « La culpabilité de l'enfant vis-à-vis de la séparation de ses parents ». *Bulletin INTER-AIFI* 2004 3:36.

TIMMERMANS, H. « La garde partagée : une organisation précieuse ». *Revue scientifique AIFI* 2007 1(1):208.

Vallant, P. *Rapport d'étude de l'appréciation des parents et des enfants bénéficiaires du groupe Confidences.* Septembre 1999. [rapport non publié]. Cette étude couvre la période allant de 1992 à 1999.

Wallerstein, J.S. « The long-term impact of divorce on children : A first report from a 25-year study ». *Family and Conciliation Courts Review* 1998 36(3):371.

Wallerstein, J.S. et J.B. Kelly. *Surviving the Breakup : How Children and Parents Cope with Divorce.* New York : Basic Books, 1980.

Wallerstein, J.S., J. Lewis et S. Blakeslee. *The Unexpected Legacy of Divorce: A 25-year Landmark Study.* New York : Hyperion, 2000.

Warshak R.A. « Blanket restrictions : Overnight contact between parents and young children ». *Family and Conciliation Courts Review* 2000 38(4):422-445, 435.

Warshak, R.A. « Family bridges : Using insights from social science to reconnect parents and alienated children ». *Family Court Review* 2000 48:48-80.

Ressources

Livres pour les parents

Clerget, S. *Séparons-nous… mais protégeons nos enfants.* Paris : Albin-Michel, 2004.

Dolto, F. *Quand les parents se séparent.* Paris : Seuil, 2004.

Fabre, N. *J'aime pas me séparer : toutes les séparations dans la vie de l'enfant.* Paris : Albin Michel, 2002.

Gagnier, Nadia. *Mes parents se séparent… et moi alors ?* Montréal : La Presse, 2010.

Gannac, A-L. et Y. Gannac-Mayanobe. *Divorce : les enfants parlent aux parents.* Paris : Anne Carrière, 2008.

Guilmaine, C. *Chez papa, chez maman : une nouvelle vie de famille.* Montréal : Éditions du CRAM et Éditions du CHU Sainte-Justine, 2011.

Poussin, G. et E. Martin-Lebrun. *Les enfants du divorce : psychologie de la séparation parentale.* 2e éd. Paris : Dunod, 2011.

Livres pour les enfants et les adolescents

Dolto-Tolitch, C. *Les parents se séparent.* Paris : Gallimard Jeunesse, 2008. 24 p. [2 ans +]

Bottin, I. et P. Brassard. *Papa est parti.* Montréal : La Courte échelle, 2010. [2 ans +]

Piquemal, M. *Emma a deux maisons.* Paris : Flammarion, 2004. 21 p. [3 ans +]

Wabbes, M. *Papa, maman, écoutez-moi !* Paris : Gallimard Jeunesse, 2004. 27 p. [4 ans +]

MOORE-MALLINOS, J. *Quand mes parents ont oublié d'être amis.* Saint-Lambert : Héritage, 2006. 32 p. [5 ans +]

DE SAINT-MARS, D. *Les parents de Zoé divorcent.* Fribourg : Calligram, 1998. 45 p. [6 ans +]

CLERGET, S. et B. COSTA PRADES. *Comment survivre quand les parents se séparent.* Paris : Albin Michel Jeunesse, 2004. 185 p. [10 ans +]

DE GUIBERT, F. *Parents séparés... et moi alors?* Toulouse : Milan, 2006. 43 p. [10 ans +]

CADIER, F. *Les miens aussi, ils divorcent.* Paris : De la Martinière Jeunesse, 2008. 103 p. [11 ans +]

LUCAS, P. et S. LEROY. *Le divorce expliqué à nos enfants.* Paris : Seuil, 2003. 88 p. [13 ans +]

Ressources sur Internet

MINISTÈRE DE LA JUSTICE DU CANADA. *Mes parents se séparent ou divorcent : Qu'est-ce que ça veut dire pour moi ?*
www.justice.gc.ca/fra/pi/fea-fcy/bib-lib/pub/livre-book/index.html

AGENCE DE LA SANTÉ PUBLIQUE DU CANADA. *Parce que la vie continue... Aider les enfants et les adolescents à vivre la séparation et le divorce.*
www.phac-aspc.gc.ca/publicat/mh-sm/divorce/toc-fra.php

PORTAIL QUÉBEC. *Quand un couple se sépare.*
www4.gouv.qc.ca/fr/Portail/Citoyens/Evenements/separation-divorce/Pages/accueil.aspx

Imprimé sur du papier Enviro 100% postconsommation
traité sans chlore, accrédité ÉcoLogo et fait à partir de biogaz.